Littérature d'Amérique

Collection dirigée par
Normand de Bellefeuille et
Isabelle Longpré

Sonde ton cœur, Laurie Rivers

Du même auteur chez Québec Amérique

L'Avaleur de sable, roman, Montréal, 1993.
Le Principe du geyser, roman, Montréal, 1996.
Un peu de fatigue, roman, Montréal, 2002.

Stéphane Bourguignon

Sonde ton cœur, Laurie Rivers

roman

QUÉBEC AMÉRIQUE

Catalogage avant publication de Bibliothèque et Archives Canada

Bourguignon, Stéphane
Sonde ton cœur, Laurie Rivers
(Littérature d'Amérique)
ISBN 978-2-7644-0508-6
I. Titre. II. Collection : Collection Littérature d'Amérique.

PS8553.O855S66 2007   C843'.54   C2006-941834-9
PS9553.O855S66 2007

 Conseil des Arts Canada Council
du Canada for the Arts

Nous reconnaissons l'aide financière du gouvernement du Canada
par l'entremise du Programme d'aide au développement de l'industrie
de l'édition (PADIÉ) pour nos activités d'édition.

Gouvernement du Québec – Programme de crédit d'impôt pour
l'édition de livres – Gestion SODEC.

Les Éditions Québec Amérique bénéficient du programme de subvention
globale du Conseil des Arts du Canada. Elles tiennent également à
remercier la SODEC pour son appui financier.

Québec Amérique
329, rue de la Commune Ouest, 3ᵉ étage
Montréal (Québec) Canada H2Y 2E1
Téléphone : 514-499-3000, télécopieur : 514-499-3010

Dépôt légal : 4ᵉ trimestre 2006
Bibliothèque nationale du Québec
Bibliothèque nationale du Canada

Mise en pages : André Vallée – Atelier Typo-Jane
Révision linguistique : Diane Martin
Conception graphique : Isabelle Lépine

Première partie

Trois ans plus tôt, le 15 avril, un pêcheur venu du Canada avait découvert le cadavre de Nelly McCann deux kilomètres en aval de Swan Valley. L'adolescente flottait sur le ventre entre deux eaux, son sac à dos, toujours en place, crevant la surface. Intrigué par l'étrange paquetage, le touriste, chaussé de ses cuissardes, s'était aventuré à sa rencontre. Un objet glissant à cet endroit pouvait signifier une embarcation renversée plus en amont. D'étranges tentacules blonds ondoyaient à l'une des extrémités de la masse. L'homme s'apprêtait à tendre la main quand il comprit qu'il s'agissait de cheveux humains. Frappé d'horreur, il se précipita vers la berge alors que le corps poursuivait lentement sa procession dans la *Snake*. Le responsable de l'enquête avait vite conclu à un suicide. Après tout, c'était la haute saison dans le Midwest.

Chaque année, lors de la fête nationale du 4 juillet, le service des incendies organisait un pique-nique au

Parc de la rivière, à Palisades. La petite municipalité comptait soixante-huit habitants, Irwin juste à l'ouest cent vingt-cinq et Swan Valley, à l'extrémité, deux cent treize. Les trois villages reposaient au fond d'une vallée de dix milles carrés, sanglée de montagnes et dont la seule ouverture visible avait été bouchée, en mil neuf cent cinquante-sept, par l'érection de Palisades, le barrage.

— Kevin! Ne t'approche pas trop!

Laurie Rivers, vingt-six ans, avait pris place de manière à veiller sur les plus jeunes qui jouaient entre les îlots de couvertures et de serviettes de plage. Kevin, sur la grève, en contrebas, lançait des roches dans la rivière. Quand le garçon croisa son regard, Laurie fit mine d'applaudir et le jeune homme leva les bras au ciel, victorieux.

— Kevin Perowski, mesdames et messieurs!

L'institutrice éclata de rire. Mark, son mari, interrompit sa lecture et leurs sourires se firent écho.

— Laurie! Venez!

Laurie se leva, ajusta son *cut-off jean* et sa blouse blanche puis elle entreprit de descendre jusqu'à la berge. Kevin prit sa main et en délia délicatement les doigts. Onze ans les séparaient, mais à l'extérieur de la classe, la jeune femme avait l'impression que cette différence s'estompait sensiblement.

— À vous, dit-il en plaçant un caillou au creux de sa paume.

La froideur et l'humidité de la pierre réveillèrent, chez l'institutrice, des sensations propres à l'adolescence; la grenouille qu'on imagine gluante et qui s'avère lisse et tiède au creux de la main, le *rubber boa* qu'on tient entre deux doigts et qui s'entortille gentiment autour du poignet, la viscosité de la truite tout juste sortie de l'eau. Laurie, la mémoire chatouillée, éclata spontanément de rire. Elle s'élança et son projectile parcourut une distance plus que respectable avant de disparaître, avalé, dans l'onde bleu acier.

— Pas mal pour une fille.

Moins pour la boutade que pour l'œil rieur qui l'avait accompagnée, Laurie gratifia son élève d'un sourire.

— Et ta mère se porte bien?

— O.K.

Maggie Perowski souffrait d'arthrite. Elle était affectée d'une sévère claudication qui lui avait valu le surnom de *seesaw*, mais depuis que des épisodes particulièrement douloureux la clouaient au lit, on avait tendance à l'appeler par son vrai nom. Laurie caressa la tête du garçon. Une femme tourna la tête dans leur direction et l'institutrice retira brusquement sa main. Puis sa réaction lui parut absurde.

— Tu m'en trouves une autre?

Kevin se mit à la recherche de la pierre idéale, plate, lisse et bien ronde.

— Un peu plus lourde, s'il te plaît, dit Laurie en observant la manière dont se mouvaient ses mains déjà façonnées par le travail de la ferme au-dessus du sol inerte.

— Je te vois à la première journée d'école?

— Mais les vacances viennent juste de commencer!

La petite Ford rouge, écrasée par le poids du ciel, jouait lentement du coude avec la *Snake*. Les habitués qui empruntaient la route conduisant à Swan Valley à cette heure du matin savaient que le point rouge qui se dessinait au loin, c'était l'institutrice et qu'il allait falloir la doubler si on était attendu. Mais qui pouvait bien être pressé par ici ? Seuls les touristes poussaient le rythme, tractant leur embarcation ou leur véhicule tout-terrain, impatients d'aller mouiller leur ligne. Laurie guettait donc de temps à autre dans son rétroviseur pour ne pas sursauter quand ils arrivaient à sa hauteur, *S.U.V.* ou autres camionnettes surdimensionnées, et quand ils apparaissaient, elle les gratifiait d'un salut poli puis elle se laissait emporter de nouveau par le flot de ses pensées.

Je change, songea-t-elle en attaquant la descente qui ramenait la route tout contre la rivière, juste à l'entrée du canyon alors que Swan Valley ouvrait les bras. Ici, rien n'avait bougé. *Sandman Glass & Gift*, le *Saddlesore Saloon*, le *Angus Cafe* avec les restes orange et blancs de sa portion *drive-in*, le *Phillips 66* à la jonction de la trente et un, *Fox's Corner'd Inn*, le bureau de poste et un peu plus loin l'église de Jésus-Christ des Saints des Derniers Jours. L'alignement restait le même, saupoudré çà et là d'une maison de bois, d'une roulotte, d'un ranch sur le retour et plus récemment d'une somptueuse maison de villégiature. On avait eu beau rajeunir certaines devantures à la saveur *Old West*, derrière les façades, rien n'avait bougé, les charpentes des maisons pas plus que celles des hommes. C'était d'ailleurs pour cette raison qu'on venait s'établir ici, justement pour fuir ce qui remuait trop ailleurs. *C'est moi qui change,* pensa Laurie.

L'été avait été court. Supervisée par le *Charter School Board* de l'Idaho, Laurie avait remanié son programme scolaire de niveau secondaire amorcé l'année précédente. Malgré leurs réticences initiales, les parents de la nouvelle classe multi-âge s'étaient dits plutôt satisfaits de l'expérience. Si ce n'était des Radcliffe qui militaient encore secrètement contre le principe même de cette école « anormale » où le contenu et le fonctionnement, adaptés aux besoins particuliers de la clientèle, distinguaient l'établissement de ceux du système traditionnel.

Laurie avait fondé cette classe à l'arraché, rencontrant l'un après l'autre chaque parent afin de lui expliquer le principe même de ce type d'école encore peu répandu dans le Midwest. Quant aux Radcliffe, à bout d'arguments, elle avait fini par leur suggérer d'envoyer Tim à l'école traditionnelle, ce qui avait eu l'étrange effet de les pousser à lui confier l'enfant. Mais la première année d'existence de la désormais célèbre classe – logée au sein de l'école primaire de Swan Valley – avait été parsemée de plaintes inutiles au Conseil et de menaces à peine déguisées. Tim, qui aimait beaucoup Laurie, avait été le premier à souffrir des affres de ses grands-parents.

Le clan Radcliffe, c'est-à-dire le grand-père, la grand-mère et la belle-fille, la mère de Tim, vivaient dans une *mobile home* le long de la route vingt-six. La devanture du bloc rectangulaire comptait trois drapeaux américains, sans compter celui qui tenait compagnie à la boîte aux lettres, au bord de la route, et le plus petit, plastifié celui-là, qui flottait en permanence sur le pick-up du paternel. Radcliffe le père venait d'envoyer ses deux fils, dont le père de Tim, en Irak. Quoique personne à Swan Valley ne discutât un tel choix, la plaisanterie qu'on risquait d'entendre au *Angus Cafe*, cet été-là, voulait qu'il eût bien envoyé sa femme aussi, n'eût été de ses pieds plats et de son poids qui approchait les trois cents livres.

La prémisse de Laurie, instigatrice de la demande d'établissement auprès du *Charter School Board*, avait été simple : permettre à la dizaine d'élèves d'âge secondaire de la vallée de suivre dans leur environnement des cours répondant aux exigences nationales mais adaptés à leur réalité particulière. Pour la majorité, soit près de quatre-vingt-dix pour cent, ces enfants abandonneraient les études après la douzième année. Sans sacrifier à l'espoir de les voir poursuivre à des niveaux supérieurs, Laurie avait justifié sa demande en soutenant auprès des autorités qu'il était urgent de préparer ces jeunes à la vie qui les attendait après, constituée de champs, de bétail, de pommes de terre et de bambins. En éliminant matin et soir l'heure de transport qui les séparait du *high school* le plus près, on permettrait déjà une certaine souplesse des horaires, offrant à ceux qui étaient responsables de différentes besognes à la maison comme à la ferme de s'en acquitter sans délaisser l'école. Avec l'horaire de l'école traditionnelle, après avoir ajouté deux heures de transport par jour, il ne restait plus beaucoup de temps pour faire les devoirs et étudier les écritures en famille. Enfin, le fait de réunir en un seul groupe tous les élèves de douze à seize ans développait l'esprit de cohésion, d'entraide et de partage dont la communauté avait tant besoin pour prospérer. Laurie avait assuré aux signataires de la pétition – passage obligé pour obtenir l'aval du Conseil – qu'elle enseignerait les notions de base concernant l'élevage, l'agriculture, l'art culinaire et la couture, tout en se ménageant l'espace nécessaire pour inspirer ses ouailles et leur permettre de déployer leurs ailes au-delà de ce que le contexte géographique de la vallée et l'appartenance religieuse de la plupart d'entre eux prescrivaient. Elle avait parcouru toute la municipalité, de porte à porte, afin d'expliquer son projet ; elle avait rencontré les parents et même les couples sans enfant ; elle avait serré des mains à la station-service, bref, elle avait mené son projet à terme à la manière d'un politicien en laissant derrière elle un sillon de gens séduits, sinon par ses convictions au moins par son affabilité, son dévouement et sa détermination. Ses erreurs de jeunesse enterrées, l'exercice lui avait permis de se réhabiliter aux yeux des siens.

Chez les Hubbard, dans une banlieue de Houston, l'air du bungalow était irrespirable. Les pièces de petite taille, percées de fenêtres minuscules elles-mêmes surmontées d'auvents en fibre de verre jaune, étouffaient sous le soleil de l'après-midi. La moquette qui recouvrait toute la superficie de la maison ne cédait jamais à l'aspirateur toute la poussière que ses fibres rugueuses emprisonnaient. Elle gardait jalousement odeurs de cuisson et saletés, libérant dans les différentes pièces un parfum d'hôtel suranné.

Alice, quinze ans, écoutait un disque compact sur son baladeur en lisant les remerciements à l'arrière de la pochette. Sourcils froncés, elle cherchait quelque chose, un lien de parenté entre deux groupes, alors que sa respiration sourde et légèrement sifflante, conséquence de son embonpoint, emplissait la chambre. La musique offrait un interstice dans lequel elle arrivait à se glisser, la tête d'une épingle lui permettant d'échapper au monde. Les minutes, les heures même pouvaient s'écouler sans avoir de prise sur elle. Surtout, sans que la faim ne la tenaille. Elle éjecta le disque et en glissa un autre dans l'appareil. Elle était sûre d'une influence, elle sentait une piste. Elle passa en revue les différentes plages tout en parcourant la liste des collaborateurs. Il fallait faire vite, ses parents rentreraient d'une minute à l'autre. Rien pourtant ne l'empêcherait de poursuivre ses recherches une fois sa mère et son père revenus, mais elle ressentait tout de même une certaine urgence.

De la musique, de ce lieu éminemment intime, parfois remontait une image de la journée ou surgissait une information enregistrée à l'insu du conscient et qui se déployait à la surface de son corps comme une sensation. Le garçon châtain qu'elle avait aperçu à l'arrêt d'autobus, ses traits délicats qui contrastaient avec son énergie violente, avec son espèce de rage contenue. Et maintenant, dans le corps d'Alice se propageait une chaleur que toutes les défenses qu'elle avait érigées au fil du temps avaient empêché de se manifester au moment de la rencontre. Et puis la jeune fille reprenait le chemin de la musique, elle replongeait dans son courant pour se laisser emporter plus loin.

Entre deux plages, elle entendit le Ford Explorer s'engager dans l'entrée et elle ressentit de nouveau une animosité sans équivoque pour ces deux êtres humains qui pénétreraient sous peu dans la maison. Les portes du véhicule claquèrent presque simultanément. Elle avait honte et dédain d'eux à la fois. C'est aussi en leur compagnie qu'elle se détestait le plus. Parfois elle imaginait, vus de haut, leurs trois corps grotesques circulant gauchement entre les meubles, calculant un passage serré dans l'ouverture d'une porte. Et que dire du dégoût qu'elle éprouvait quand elle les imaginait s'accouplant, *fat fuckers,* haletant et suintant, avec leurs organes de mollusques poisseux?

Alice roula sur le lit afin de se relever plus aisément puis elle se remit au travail. Elle prit une rangée complète de disques et la mit avec précaution dans une nouvelle boîte de carton.

Tout en préparant son mot de bienvenue, Laurie remonta l'allée centrale en laissant sa main glisser sur la file de pupitres. La petitesse de la communauté protégeait ses enfants de beaucoup de choses, mais leur donnait-elle tout ce dont ils avaient besoin? C'était à elle d'y veiller. Que savaient-ils de leur propre pays qui se déployait de l'autre côté de ces montagnes, peut-être le plus beau du monde ? Comment vivait-on sur la côte est ou dans le sud ? Et que connaissaient-ils du reste de la planète, à part les quelques paragraphes qu'en disaient les livres d'histoire ?

Il fallait s'adresser à ces élèves en oubliant qu'ils allaient, pour la grande majorité, passer leur vie dans cette vallée – la plupart de ceux qui s'en échapperaient le feraient en s'engageant dans l'armée, par dépit, par devoir, pour s'offrir des études décentes ou pour aider leur famille. Il fallait s'adresser à eux comme s'ils allaient prospérer, démarrer des entreprises, défendre des idées, militer pour la sauvegarde de droits. Et qui sait si, invraisemblablement, il n'y avait pas, parmi eux, un futur sénateur ou même un président ?

Comme tous les élèves la connaissaient, Laurie n'écrivit pas son nom au tableau. Elle fit tout de même le geste, craie à la main, à quelques centimètres de la surface noire ; *Laurie Rivers, fille d'Angela Rivers*.

L'institutrice, debout près de son bureau, sourit tout au long de la procession désordonnée. Elle avait lu un jour que la première chose qu'un enfant faisait en entrant dans une pièce, c'était d'observer ce que son arrivée suscitait dans le regard des adultes. Leur présence réjouissait le cœur de la jeune femme, tout comme la perspective de vivre avec eux la seconde année de son école, c'était donc ce qu'elle allait leur montrer. Et quand Kevin se profila, bon dernier, Laurie lui envoya un clin d'œil discret.

Chaque fois que Laurie approchait de la maison, elle sentait son ventre se nouer. De même, si elle s'adonnait en chemin à regarder les demeures qu'elle croisait, à imaginer la vie qu'on y menait à l'intérieur, le même nœud se formait, le même sentiment d'étouffement s'emparait d'elle. Entre la voiture et la porte d'entrée, elle avait conclu qu'il valait mieux ne pas réfléchir, marcher seulement, foncer presque, parce qu'une fois à l'intérieur, un certain soulagement serait ressenti.

Mark vint à sa rencontre. Ils avaient toujours fait de même, que ce soit l'un ou l'autre qui entrât en dernier. Laurie aurait voulu prendre le visage de son mari entre ses mains, sa peau fraîche avec ses relents d'après-rasage, sa bouche si parfaite, si invitante. Elle aurait voulu sentir, toucher cette fraîcheur, cette propreté qu'il dégageait toujours, mais elle n'osa pas.

— J'ai ramassé ta chemise chez le teinturier, dit-elle.

— Oh, je voulais y aller demain en fermant la banque…

Le teinturier, c'était en fait le magasin général où, deux fois par semaine, passait une camionnette qui emportait jusqu'à Idaho Falls les vêtements à laver. Laurie plaça la chemise dans la lumière afin de jauger sa propreté. Une certaine émotion la saisit lorsqu'elle constata avec quel éclat le blanc rayonnait.

— Ça va, Laurie? Tu as passé une belle journée?

Mark se dirigeait déjà vers la cuisine afin de préparer l'apéro. Il y avait maintenant deux ans qu'ils étaient mariés et certaines habitudes étaient bien ancrées.

— Oui, chéri.

Et la chemise blanche vibrait sous ses yeux. Elle n'avait jamais remarqué comme le blanc pouvait briller parfois. Dans l'autre pièce, le tire-bouchon s'enfonçait dans le liège.

— Comment étaient tes élèves ?

— Comme à chaque rentrée, calmes et obéissants, dit-elle avant d'éclater de rire.

— Kevin y était ?

— Oui, pour la forme. Il reviendra après les foins.

Mark reparut avec les verres. Ses cheveux courts parfaitement coiffés, ses favoris taillés avec minutie où commençaient à s'aventurer quelques poils blancs et son complet acheté dans la capitale lui conféraient importance et dignité. Il est vrai qu'il suscitait aussi de drôles de sourires à la station-service ou chez Angus, mais s'il faisait lever les sourcils des hommes, en revanche, beaucoup de femmes auraient souhaité qu'à sa manière leur mari, de temps à autre, délaisse le jean et la chemise à carreaux pour le complet deux pièces.

Laurie but une première gorgée de vin, son cœur s'accéléra et son pouls vint battre dans ses tempes.

— Oh, ça fait du bien…

Mark la regarda en souriant. Il était si beau avec sa mâchoire carrée et ses dents fortes et blanches. Par pudeur, peut-être parce qu'il était plus vieux qu'elle, plus cultivé et plus raffiné, Laurie baissa les yeux. *Regarde-le, regarde-le,* se dit-elle. Et elle trouva la force de le dévisager en souriant elle aussi, aspirant ses traits de ses yeux voraces afin qu'il croie qu'à ses côtés elle se sentait acceptée et comprise. Puis comme chaque fois,

elle se demanda comment elle allait faire pour ne pas
se servir un second verre une fois celui-ci terminé.

Quand son réveil sonna, Alice, comme à l'habitude, ouvrit les oreilles avant les yeux. Elle dut mettre
quelques secondes pour reconnaître les bruits de la
nouvelle maison. Une odeur de crêpes sucrées flottait
dans l'air. De sa chambre, elle pouvait percevoir le pas
lourd et imposant de sa mère, passant du réfrigérateur
à la cuisinière, dressant la table de cuisine. Son père,
probablement parti depuis l'aurore, était-il venu la
regarder dormir quelques instants comme il le faisait
parfois à son insu – du moins le croyait-il ?

Alice prit sa douche, les yeux fermés, entendant
avec une fidélité étonnante la pièce de *symphonic metal*
qu'elle avait écoutée jusqu'à plus soif en se mettant au
lit la veille. Sa main glissait sur son corps comme sur
la surface d'un objet étranger. Elle avait l'impression
de parcourir l'étendue d'une enveloppe extensible et
souple ne lui appartenant pas, mais qui la contenait
pourtant. Elle s'était longtemps sentie faible et vulné-
rable à cause de son poids. Avec les années, cependant,
ses yeux sévères surplombés par des sourcils froncés
en permanence aidant, elle avait l'impression de s'être
endurcie. Aujourd'hui, elle se plaisait à croire qu'au
centre de cette enveloppe rébarbative siégeait un noyau
dur, serré comme un poing, rébarbatif lui aussi. Le
contenant était devenu le contenu. Elle allait leur
montrer, à cette bande de *hillbillies* !

Certaines nuits étaient déjà fraîches, mais le soleil qui sévissait sans entrave allait bientôt réchauffer l'école. Laurie remonta l'allée de pupitres le regard tourné vers un des sommets enneigés de *Grand Teton Park*. Puis elle vit Tim Radcliffe au loin, son corps étrangement peu développé pour ses treize ans, avec son gros sac à dos, le long de la route vingt-six comme un étrange voyageur. Son cœur se serra en pensant à Nelly McCann, la petite morte, qui avait suivi le même cours, quelques centaines de pieds plus bas, dans les eaux froides de la *Snake*.

Une nouvelle élève arrivait aujourd'hui. Comme chaque fois, un nouvel équilibre devrait s'établir au sein de la petite communauté. Les nouveaux venus n'étaient pas assimilés, ils provoquaient la mutation de la cellule. Comme une blessure qui se refermerait d'elle-même, au fil des jours, redonnant à l'organe une configuration proche de l'originale, mais avec de nouvelles spécificités. Laurie était très excitée à l'idée d'assister à la naissance d'une nouvelle chimie. De plus, elle y voyait pour chacun une occasion de donner le meilleur de lui-même, mettant à l'épreuve les qualités nécessaires mais parfois déficientes de ses jeunes concitoyens : curiosité et ouverture. Le mur obstiné qu'elle frappait quand elle s'entretenait avec un adulte, la peur du changement, la glorification du bon vieux temps, elle le retrouvait en germe chez ses jeunes, mais gardait espoir de retarder, sinon d'enrayer le moment où leurs œillères se fermeraient définitivement sous la pression qu'exerçait la vague droitiste et l'Église de Jésus-Christ des Saints des Derniers Jours.

Adrian Hubbard, biologiste de calibre très moyen, venait d'être embauché, probablement par suite d'une erreur de jugement, à titre de consultant pour une révision des normes de préservation de la *Targhee National Forest*. Alice, sa fille unique, arrivait donc de Houston, au Texas, et, comme le tiers de la population de cette ville, elle souffrait d'embonpoint.

Quand Alice descendit de la voiture dans son pantalon kaki sur lequel tombait son t-shirt noir deux points trop grand à l'effigie des Von Bondies et que sa mère lui souhaita bonne chance sous les regards curieux des autres élèves, Laurie eut beau se racler la gorge pour que les jeux et les discussions reprennent, rien n'y fit. Il y avait trop à voir ; la jeune fille était grande et grosse, bien sûr, mais il ne fallait pas négliger l'intérêt que suscitaient les mèches mauves qui jaillissaient de sa chevelure de jais ainsi que l'épaisse ligne de khôl qui soulignait ses yeux.

Laurie prit aussitôt la main de l'adolescente et se mit en frais de la présenter à ses nouveaux compagnons, pour la plupart cloués sur place. Alice tenta bien, par orgueil et par gêne aussi probablement, de retirer sa main, mais elle n'y arriva pas. Et Laurie la traîna d'un groupuscule à l'autre avec une fierté qu'elle puisait Dieu sait où.

Dans l'ensemble, Laurie fut satisfaite de l'attitude de ses élèves en cette première journée. Quant à Alice, malgré son air bourru, elle se laissa entraîner, tantôt par les filles, dans une visite approfondie de la petite école, tantôt par les garçons, pour un survol du matériel informatique.

Si un point de tension se profila, il fut engendré par Kenneth, qui essaya, sans trop de résultats, d'engager ses camarades dans des plaisanteries chuchotées et des moqueries hypocrites. Mais s'il faut admettre que Laurie appliquait des règles strictes en matière d'inclusion et de civilité, il reste qu'Alice avait les moyens et physiques et verbaux de faire taire les langues trop bien pendues. Un coup de poing discret partit en direction de l'épaule tendre du garçon et entraîna à sa suite un silence profond qui dura pratiquement toute la journée.

À l'heure du lunch, tous les regards, innocents ou non, se posèrent sur le sac d'Alice. Elle fit glisser la fermeture-éclair, sachant depuis toujours, peu importe où elle se trouvait, que les gens autour attendaient ce moment-là pour confirmer ce qu'ils pensaient d'elle. C'est avec un certain étonnement qu'on se rendit compte que son sac n'était pas mieux garni que celui des autres. Le sandwich de pain brun, les deux portions de crudités, le jus de légumes et l'humble salade de fruits qui constituait le dessert, respectaient toutes les normes de qualité que Laurie cherchait à imposer à ses ouailles. Ils les dépassaient même. À trois heures vingt-cinq, au moment où on se leva pour quitter la classe, Alice, qui montrait des signes de somnolence depuis un moment, eut un étourdissement. Tous les membres du groupe regardèrent dans sa direction alors que les pieds de son pupitre grinçaient longuement et bruyamment sur le plancher, mus par son propre poids en perte d'équilibre.

Deborah Hubbard attendait sa fille avec impatience. Sur la banquette arrière reposaient des tentures qu'elle venait d'acheter à Idaho Falls et elle brûlait d'envie de voir l'effet qu'elles auraient dans son bureau. Elle avait rêvé toute sa vie d'habiter une maison qui en imposait. Et voilà que son rêve était en train de se réaliser, même si pour cela il avait fallu quitter la civilisation et venir s'établir dans ce trou.

— Tout s'est bien passé? demanda-t-elle.

— Oui, tout a été parfait, répondit Laurie.

Alice, encore un peu blême, avait eu le temps de contourner la voiture et de s'y installer. Madame Hubbard se tourna vers elle, mais sa fille ne la regarda pas.

— C'est vous qui avez préparé son lunch?

— Non, c'est elle. Pourquoi?

— Je ne connais pas l'appétit de votre fille, dit-elle avec délicatesse, mais il me semble que ce n'était pas beaucoup pour une journée complète.

Un éclair d'affolement passa dans le regard de Madame Hubbard. Elle se tourna vers sa fille un instant, puis elle revint à Laurie.

— Merci, fit-elle, nous allons en discuter.

— De rien. Et bienvenue à vous et à Monsieur Hubbard.

Alors que la voiture s'éloignait, Laurie crut voir, par la lunette arrière, quelque chose qui troubla son cœur. Témoin lui aussi, Tim Radcliffe, debout sur ses jambes maigres et noueuses, regarda son professeur droit dans les yeux comme s'il eût été de son ressort de fournir une explication.

Laurie fit couler l'eau et jeta un long trait de savon liquide dans l'évier. Elle avait retourné la scène dans sa tête maintes et maintes fois durant le trajet de retour. *Imbécile! Sotte!* Qu'avait lancé la femme en frappant son enfant? *Qu'est-ce que tu espérais, idiote!?*

— Es-tu sûre de ce que tu as vu? Est-ce qu'elle aurait pu frapper l'appuie-tête dans un moment d'emportement et qu'avec l'angle de vue tu te sois trompée?

— Je ne sais pas...

Elle y pensa quelques secondes. La scène rejoua dans sa tête. La voiture qui s'éloigne, la vue rétrécie par la lunette arrière. Oui, c'était possible. Comment pouvait-elle être sûre que la main n'avait pas frappé l'appuie-tête?

— S'il y a quelque chose qui cloche avec cette femme, je suis persuadé que tu seras la première à t'en apercevoir.

Elle embrassa Mark et se serra un peu plus contre lui. Il caressa son dos et le sang de Laurie changea aussitôt de direction pour se précipiter vers son ventre. Elle cambra légèrement les reins au passage de la main de son mari. Sa respiration devint plus grave. Il avait trouvé les mots et tout se déliait encore une fois. Elle ouvrit la bouche. Elle frotta son cou contre le sien. Quand elle saisit le lobe de son oreille entre ses lèvres et qu'elle expira doucement afin qu'il sente son désir, Mark retira lentement ses mains. Ils restèrent un moment l'un près de l'autre, interdits, puis l'homme quitta la pièce en prétextant quelque ouvrage.

Au moment de se dévêtir, Laurie observa son propre physique dans le miroir; son corps penché à quatre-vingt-dix degrés, son petit ventre, ses seins tombant vers le sol, ces lignes, ces formes, l'arc du dos, le trait droit de la jambe. Elle finit de retirer ses chaussettes et elle se releva. Elle releva aussi le menton. De nouvelles lignes, de nouvelles formes, le petit bedon de profil, les seins tombant maintenant avec grâce. Elle pivota tout en maintenant son regard dans la glace ; le galbe de la fesse, la chute des reins, la colonne vertébrale qui monte vers la nuque.

Elle enjamba la baignoire et se glissa dans l'eau chaude. L'émulsion qu'elle tira de la savonnette était riche et veloutée. Elle avait vu beaucoup de filles nues lors de son passage à l'université. Dans les douches du complexe sportif, des dizaines de corps, jamais deux semblables. Elle essaya de se rappeler si elle avait déjà aperçu une femme de la stature d'Alice.

Mark était déjà au lit. Il se tourna pour l'embrasser et lui souhaiter bonne nuit. Elle attendit, immobile, les yeux fermés, concentrée sur la respiration de son mari, et quand il s'endormit enfin, elle se sentit libérée. Elle se masturba et sa jouissance fut d'autant plus fulgurante qu'elle dissimulait une sorte de vengeance.

Ses dernières pensées furent consacrées à Alice. Elle revit la voiture des Hubbard qui quittait le stationnement de l'école. Et le secret qui se fondrait dans l'habitacle.

— Qu'est-ce que j'ai fait ?
— Assieds-toi, s'il te plaît.

Les autres enfants étaient sortis pour la pause. Laurie les observait par la fenêtre en cherchant ses mots.

— On peut se parler franchement?

Alice haussa les épaules; après tout, elle n'avait rien à se reprocher, elle n'avait jamais été aussi tolérante, aussi gentille que depuis son arrivée. Bien sûr, le changement radical entre la solitude extrême de Houston et l'investissement qu'on attendait d'elle ici n'était pas sans la déstabiliser, mais dans l'ensemble elle avait été plus que patiente avec les plus jeunes.

— Tu sais ce que tu risques? Tu connais les maladies qui sont reliées à ton poids?

Selon l'*American Obesity Association*, la jeune génération d'aujourd'hui était la plus inactive de l'histoire de l'humanité. La télévision et l'ordinateur avaient augmenté la sédentarité alors qu'au même moment, les programmes d'éducation physique scolaires étaient amputés et les installations communautaires récréatives de plus en plus vétustes, sinon carrément laissées à l'abandon dans les zones où la petite criminalité fleurissait. Cela dit, le problème restait essentiellement urbain puisqu'en région, les organisations municipales et religieuses offraient encore beaucoup de possibilités.

— Si tu veux maigrir, si tu le veux vraiment, je vais t'aider.

L'idée ne quitta pas Alice du reste de la journée. Les mots qu'avait employés Laurie chantaient en boucle dans sa tête, mais toute réflexion semblait interdite. Elle rentra à la maison avec ces paroles secrètes et elle monta vite à sa chambre comme s'il fallait les mettre en sûreté. Elle se sentit étrangement jeune. Quel âge exactement aurait-on pu lui donner à la voir tourner en rond dans la pièce, sautiller même par moments ? Et si dans son esprit il n'y avait toujours rien, que ce mur blanc, dans son corps déferlaient déjà l'emballement et l'exultation. Elle se planta devant le miroir et, aussitôt la décision prise, un sentiment de haine fulgurant la submergea. *Fat shit !* Ces épaules tombantes, ces seins lourds et informes qui la poussaient à se courber vers l'avant, ce ventre flasque, ces cuisses boudinées, ce bourrelet qui débordait sur ses hanches et qu'elle tentait parfois de reloger sous la taille de son pantalon ; quinze années d'humiliation, d'impressions désagréables et de sentiments affligeants. Ce lit, cette vanité, cette commode, elle détestait tout ce qui était venu avec elle de Houston, tout ce qui lui rappelait sa déchéance. Juste l'idée de tourner son esprit vers cette époque lui occasionnait une formidable nausée. Et à l'opposé, la classe multi-âge de Laurie apparaissait maintenant comme un lieu neuf et accueillant, un continent riche et vierge où on lui offrait la possibilité de repartir à zéro et de corriger les erreurs du passé. Ces bouseux aux jeans trop courts avaient à présent quelque chose de réconfortant.

— Combien de livres voudrais-tu perdre ?
— Cinquante.
— Quel est ton poids ?
— Deux cent sept.
Le chiffre n'intéressa pas Laurie. Elle se demanda même pourquoi elle avait posé la question ; elle ne

souhaitait pas réfléchir à la méthode qu'elle emploierait, elle voulait foncer tête baissée et ne s'arrêter que lorsque l'épreuve serait traversée.

— Est-ce que tes parents seraient d'accord pour nous aider ? Est-ce que tu penses que ta mère accepterait de modifier son menu ?

Alice pouffa de rire alors qu'un rai d'animosité éclairait son regard.

— Tu voudrais que je lui parle ?

L'adolescente rentra chez elle avec un billet de son institutrice. Ce soir-là, tel que c'était précisé dans la missive, Madame Hubbard communiqua avec Laurie. La discussion aurait pu se tenir au téléphone, mais avec l'expérience, Laurie reconnaissait l'importance de recueillir le plus d'informations possible sur le milieu de vie de l'enfant. Espérait-elle, par la même occasion, découvrir si Madame Hubbard avait oui ou non frappé sa fille ?

La femme, hésitant à remettre à plus tard une conversation qui pouvait fort bien avoir lieu sur-le-champ, se souvint que sa famille était étrangère et qu'elle le resterait longtemps si elle n'ouvrait pas sa porte aux gens de la région. Le café serait donc servi le samedi suivant.

Kevin Perowski, bottes de travail, jean, torse nu sous le soleil de septembre, se dirigeait vers le champ au volant du tracteur. C'était la première fois de sa vie qu'il s'interrogeait sur l'amour. Confiné à la ferme depuis la rentrée alors que les autres jeunes allaient et venaient librement, Kevin sentit son esprit ruer pour sortir au jour et retrouver le monde. Voilà même qu'il s'interrogeait sur l'amour afin de se sentir plus près des autres. Il jeta un œil derrière. La silhouette de son père se dessinait de l'autre côté du nuage de poussière que le véhicule soulevait. De quoi l'amour était-il fait? Certainement de choses différentes selon l'objet d'amour. Ce que son père éprouvait pour sa mère, qu'est-ce qui en constituait l'essence? Elle n'était pas particulièrement jolie ni particulièrement intéressante. Sa santé précaire en faisait quelqu'un de faible, de taciturne et de dépendant. Pourtant l'homme était là depuis toujours, il s'occupait d'elle et manifestait fréquemment les gestes de tendresse qui les rassuraient tous sur l'ordre des choses et même sur l'ordre du monde. Kevin saisissait tout cela instinctivement, sans devoir le mettre en mots. Puis il repensa à l'excitation qu'il avait ressentie, en août dernier, quand Maggie Fisher lui avait montré sa poitrine. C'était une chose puissante, mais ce n'était pas de l'amour. Ça, il le savait aussi d'instinct. Il le savait surtout à cause du mépris qu'il avait éprouvé pour elle exactement au moment où il aurait vendu son âme pour la toucher.

Le vent qui soufflait du mont *Baldy* ramenait de son sommet enneigé des courants d'air frais. Ils frôlaient parfois le visage de Kevin ou sa poitrine surchauffée et rendaient son corps présent, sinon vibrant, à son esprit. Assis bien droit, les jambes écartées, il sentait le tissu de son pantalon mouler son sexe. Étaient-ce ses mamelons durcissant, l'image des seins de Maggie, les vibrations du tracteur ou tout ça à la fois, qui déclenchèrent le fourmillement caractéristique ? Et comme cela arrivait souvent, son esprit passa sec des jolies protubérances de la jeune fille à Dieu. Ces jeux d'adolescents étaient défendus, mais comment se conformer à cette loi ? Où trouver la force de résister à l'appel brûlant du corps ? Ainsi, certains jours, l'amour du Créateur remplissait son être de fierté et de force, et d'autres, l'attrait du vice, le passage à l'acte et le sentiment d'imperfection qui suivait le plongeaient dans le tourment de la haine de soi-même. De là, le bon sens et les enseignements voulaient qu'on se redirige vers Dieu pour chercher pardon et réconfort, mais Kevin, lui, se sentait souvent appelé dans l'autre direction, vers la libération. *Libération*, ce fut bien le mot qui éclata dans son esprit.

Ses grands-parents avaient transmis à ses parents un sens strict des enseignements qui ployaient maintenant avec les années et les pressions de la vie moderne. Les choses s'étaient faites graduellement, sans heurt. Par exemple, Monsieur Perowski ne voyait pas en quoi le café, chaud et réconfortant au réveil, pouvait offenser Dieu. Puis ce fut la bière, la bière fraîche après la journée au champ. S'il fallait se contenter du deuxième ou même du troisième des trois paradis mormons pour vivre un peu mieux dans cette vie, Monsieur Perowski était prêt à consentir le sacrifice.

Jusqu'à quel point Kevin ressentait-il le poids de cet héritage ? Les célébrations liturgiques, l'école du dimanche, les activités sportives et culturelles organisées par l'Église, les témoignages de jeunes missionnaires revenus du bout du monde, tout cela soulevait en lui exaltation et allégresse. Puis la rigidité qui surgissait au détour d'une question adressée au révérend et l'absence de réponses vérifiables semaient le doute dans son esprit. Le courage de sa mère, l'abondance ou la pauvreté de la récolte, l'intolérance de certains jusqu'auboutistes, tout cela avait-il vraiment à voir avec Dieu ? S'il n'y avait pas de salut possible sans Dieu, le vertige que Kevin ressentait parfois en contemplant le vide et l'aridité de la vallée l'emplissait pourtant d'ivresse. Voilà que, dans le vide, tout était à faire et à inventer. Le frémissement qui parcourait l'échine, le tremblotement dans les jambes, symptôme de la hantise de se retrouver de l'autre côté des montagnes, seul devant l'infini, sans Lui, l'électrisaient.

Ses pensées revinrent à Maggie Fisher. Frémissement, tremblotement, n'était-ce pas cela qu'il avait ressenti alors qu'elle soulevait son chandail ? Est-ce que l'envie de s'écarter du chemin prescrit par Dieu ne trahissait que la soif de donner libre cours à ses pulsions ou si ce qu'il éprouvait en contemplant la vallée et en imaginant ce qui l'attendait de l'autre côté des montagnes, *la libération*, était parent avec le désir que suscitait la jeune fille ?

Située à l'entrée ouest de la vallée, soit à l'endroit où la *Snake* délaisse la route pour s'engouffrer dans le canyon, l'imposante maison en bois rond nichait à flanc de colline, son teint cèdre, presque rouge, contrastant avec l'herbe miellée qui recouvrait la montagne. Laurie s'engagea dans le chemin privé et monta quelque cinq cents pieds avant d'atteindre la demeure.

Alors qu'elle attendait qu'on lui ouvre, jetant un œil à la ronde pour apprécier la vue sur la rivière, Laurie aperçut sur le côté de la maison deux Mexicains qui charriaient des pierres décoratives. Peut-être un père et son fils, un oncle et son neveu, toutes les combinaisons étaient possibles. Les premiers venaient s'établir et bientôt ils accueillaient les autres. L'épouse, la tante, la sœur faisaient peut-être les nounous dans une maison privée à Idaho Falls ou alors elles torchaient les planchers et les toilettes d'un des multiples *fast food* alignés dans l'artère commerciale. Quand la porte s'ouvrit, ils ne lui avaient pas accordé le moindre regard.

C'était la première fois que Laurie se trouvait debout aux côtés de Deborah Hubbard. La femme, fin de la trentaine, devait mesurer près de cinq pieds dix pouces et peser au-delà de deux cent cinquante livres, mais la pièce principale à aire ouverte était si spacieuse que l'imposant corps paraissait normal. Laurie songea qu'il valait peut-être mieux afficher une certaine corpulence pour survivre ici, dans cette maison, au sein des Hubbard, et pendant une seconde, elle s'inquiéta de l'avenir d'Alice.

— Voulez-vous faire le tour du propriétaire?

C'était elle, Deborah, qui s'était occupée des travaux d'aménagement. Elle avait choisi les styles, les couleurs et le mobilier. Laurie vit tout de suite, à l'expression de son visage, qu'elle avait envie de montrer de quoi étaient capables les gens de la ville. Elle accepta donc l'invitation par politesse.

La visite débuta par la cuisine. Si Laurie, qui n'aimait pas particulièrement faire à manger, écouta d'une oreille distraite les explications enthousiastes de Madame Hubbard, en échange ses yeux dévorèrent les traits et les expressions de son interlocutrice. Elle allait décrypter cette femme, elle allait la comprendre de bord en bord et ensuite forger les clés pour en venir à bout.

À l'étage, la chambre des maîtres était spacieuse et claire, mais Laurie trouva l'ensemble raté. De la disposition des meubles, de l'alignement, sur le lit, de deux gros coussins et de quatre plus petits, de la correspondance des motifs entre le tissu des tentures et celui du couvre-lit émanait un sentiment dérangeant de froideur et de rigidité.

Vint ensuite une pièce dans les tons de bourgogne et de gris, équipée d'un secrétaire et d'un ordinateur. Laurie crut qu'il s'agissait du bureau de Monsieur Hubbard, mais Deborah la corrigea, c'était son espace de travail, son petit sanctuaire à elle.

L'ensemble surnageait dans l'objet précieux et le détail pompeux : coupe-papier doré, plume nacrée, agenda Leathersmith.

— Vous travaillez dans quel domaine ?

— Je ne travaille pas à l'extérieur, c'est pour la gestion de la maison.

Le « Ah ! » que laissa échapper Laurie voulait marquer le plus poliment possible la surprise, mais il prit, bien malgré elle, des airs de jugement et de condamnation. Le regard de Madame Hubbard s'obscurcit.

— Et la chambre d'Alice ? fit Laurie pour mettre fin au malaise.

— C'est celle-là. Mais elle écoute de la musique présentement.

Laurie, désarçonnée, n'insista pas. Elles attaquèrent l'escalier, l'institutrice maintenant le regard sur la seule des portes de chambre qui lui restait interdite.

Deborah servit le café au salon. Elles discutèrent un moment de choses et d'autres. La beauté de la région, les mises en garde habituelles concernant les ours, la température passée et celle à venir remplirent les cinq à six minutes qui suivirent. C'est Laurie qui alignait les sujets de manière à aplanir leurs rapports. Il ne fallait surtout pas aborder le sujet de l'obésité alors que régnait une sorte d'animosité, voire de compétition. Les Hubbard avaient-ils trouvé du bois de chauffage si tard dans la saison ? Connaissaient-ils l'existence des jeux d'hiver de l'Idaho ? Et le rodéo de Blackfoot ? Monsieur Hubbard serait sûrement ravi d'y assister... Puis Deborah coupa court aux mondanités :

— Qu'est-ce que je peux faire pour vous, Laurie ?

— J'ai offert à Alice de l'aider à maigrir. Je voulais savoir si vous aviez déjà fait des tentatives de ce côté, si elle était suivie par un médecin.

— Nous essayons de faire en sorte qu'elle s'accepte telle qu'elle est, qu'elle se sente bien dans sa peau. Je sais que ce n'est pas très à la mode, mais c'est la voie que nous avons choisie.

La réponse ne surprit pas Laurie.

— J'ai trouvé l'adresse d'un spécialiste.

— À Swan Valley ? plaisanta Deborah Hubbard.

— Non, à Jackson Hole. Si vous êtes d'accord, je suis volontaire pour l'y emmener. Ça me permettra de faire davantage connaissance avec elle.

Madame Hubbard prit une gorgée de café. Laurie ne sut pas si le breuvage était froid ou si c'était la proposition qui faisait cet effet, mais la bouche de Deborah se tordit alors qu'elle reposait sa tasse.

— Je vais en discuter avec mon mari.

— Très bien.

Madame Hubbard se leva, signifiant ainsi que l'entretien était terminé.

— N'allez pas penser que je suis insensible à la situation d'Alice. Seulement, je me méfie des gens qui parlent du poids de ma fille. Ce n'est pas toujours la personne qui porte les livres qui a le problème.

— Pourtant, quand je lui ai parlé de maigrir, j'ai tout de suite vu son regard s'illuminer.

Une émotion aiguë monta sous le masque de Madame Hubbard, mais elle fut court-circuitée avant de paraître au jour. Cependant, son regard trahit quelque chose qui donnait à penser à de la peur ou à de la honte. Alice allait-elle être stigmatisée ? Que penseraient les autres parents de cette initiative ? Enfin, qu'adviendrait-il d'Alice si l'entreprise échouait ? Les questions valaient certainement la peine d'être posées, mais Laurie pressentait que les réticences de Madame Hubbard n'étaient pas de cet ordre-là.

— Je vais en discuter avec mon mari, dit-elle de nouveau.

Alors qu'elle regagnait sa voiture, Laurie tenta d'imaginer ce qui se passerait dans la maison après son départ. Alice avait-elle écouté l'entretien, couchée sur le ventre comme une enfant, l'oreille collée au plancher ? Se redresserait-elle subitement, replaçant son pantalon et son t-shirt, en entendant sa mère monter l'escalier ? Cette visite aurait-elle des conséquences fâcheuses ? Madame Hubbard serait-elle humiliée d'apprendre que sa propre fille préférait parler de son poids avec une inconnue ?

Un peu plus loin, Radcliffe, le grand-père de Tim, remontait péniblement la pente herbeuse qui menait de la route à la rivière. Quand il avait bu, il se sentait encore plus près de la chose bien vivante, frétillante même, qui occupait son esprit la plupart du temps : une truite brune dépassant vingt-six livres et six onces. L'espoir de battre le présent record de l'Idaho, c'était ça qui l'empêchait de s'envoyer un coup de fusil en plein visage et de les laisser tous dans leur merde. Il pensait à cette truite en conduisant, en buvant son café whisky le matin, souvent en se couchant le soir, il l'imaginait à l'abri d'un rocher, guettant la larve, la nymphe ou l'insecte. Il la savait méfiante, avec le poids des ans, se nourrissant de préférence à la tombée de la nuit. Il voyait sa bouche s'ouvrir et se fermer, l'eau purgée de son oxygène retrouver la rivière après son passage entre les branchies, il voyait sa queue et ses latérales ondoyer doucement dans le courant pour maintenir sa position. Mécanique puissante et merveilleusement adaptée, il pouvait sentir son odeur d'ici quand il la soulèverait à bout de bras pour marquer la victoire et qu'elle éclabousserait son visage d'eau poisseuse. Presque chaque jour de l'année il venait à sa rencontre. Il ne lui restait rien d'autre. Et chaque jour il rentrait à la roulotte déçu et frustré, retrouver le gros tas de lard qui lui servait de femme et cette salope de bru qu'il aurait bien baisée s'il n'avait pas eu peur d'attraper des crabes. Il allait ouvrir la boîte de son camion pour y déposer son attirail de pêche quand il aperçut l'institutrice au volant de sa Ford. Celle-là aussi, il lui aurait bien donné un bon coup de queue. Ça lui apprendrait à bourrer le crâne de son petit-fils de toutes ces conneries. À la maison, il pouvait s'assurer qu'on ne le traitât pas comme une fillette, mais à l'école, il l'imaginait courant chaque matin se blottir sous les jupes de cette petite pute et ça le rendait malade. Au moment de son passage, quand Laurie le salua poliment, il lui lança un regard qui en disait long sur ce qui l'attendrait si elle avait le malheur de se trouver seul à seul un jour avec lui.

Laurie passa le reste de la journée du samedi à l'ordinateur. Elle ne quitta le poste de travail que pour le souper puis, vers minuit trente, pour se mettre au lit. Mark l'avait attendue sous les couvertures. Il avait lutté de toutes ses forces, mais le sommeil était venu à bout de lui. Laurie retira doucement son livre d'entre ses mains, heureuse d'être encore seule, l'esprit bouillonnant de ce qu'elle avait lu sur l'obésité, son traitement et ses écueils.

Madame Hubbard téléphona le lendemain matin. Après en avoir discuté, le couple en était venu à la conclusion que le poids d'Alice était une affaire de famille et qu'il revenait à la cellule familiale de prendre les choses en main, si telle était la volonté d'Alice. L'institutrice fut remerciée de prendre à cœur le bonheur de ses élèves, mais Madame Hubbard laissa entendre qu'elle souhaitait qu'à l'avenir Laurie ne se mêlât pas des affaires de la famille.

Dès qu'elle mit le pied à l'école, Laurie prit Alice à part afin de lui exprimer ses regrets. La jeune fille objecta que sa mère n'avait pas pu consulter son père puisqu'il était en reconnaissance depuis trois jours dans la portion orientale de la *Targhee National*. Aucune discussion n'avait eu lieu non plus entre la mère et la fille.

La réaction de Laurie fut à la fois simple et éloquente. Elle instaura derechef les petits déjeuners scolaires. À partir de ce jour-là, les élèves qui en auraient envie pourraient arriver quarante-cinq minutes plus tôt afin de prendre leur petit déjeuner à l'école. De cette manière, du lundi au vendredi, Alice ne prendrait qu'un repas par jour à la maison ; il serait plus facile pour l'institutrice et l'adolescente de surveiller la qualité et la quantité de ce qu'elle ingérerait. Ces petits déjeuners seraient financés par des dons, des ventes-débarras et de menus travaux que la classe effectuerait pour la communauté, et qui, idéalement, nécessiteraient un effort physique. Tonte de pelouse, ramassage de feuilles, toilettage d'animaux, ce n'étaient pas les idées qui manquaient. Alice Hubbard, au milieu des suggestions qui fusaient et des élans d'enthousiasme, resta silencieuse, tantôt honteuse, tantôt tout simplement submergée par l'émotion. De temps à autre, elle levait deux yeux frappés d'incrédulité vers cette drôle d'institutrice en se demandant ce qu'elle avait bien pu faire pour mériter autant d'amour.

C'est donc à l'insu des Hubbard que commença le programme amaigrissant d'Alice. Évidemment, ils étaient au courant de l'existence des petits déjeuners, mais jamais le but de leur mise en place ne fut spécifié. L'opération connut beaucoup de succès, certaines mères se joignant même au groupe à l'occasion.

De la même manière, Laurie fit passer de une à trois les plages de sport prévues dans une semaine de classe puis elle institua deux périodes par semaine d'activités parascolaires. Elle voulait qu'Alice ait au moins une période d'exercice par jour entourée de ses camarades de classe. Pour l'automne, on retint le soccer, le base-ball et la randonnée en montagne. La raquette et le ski de fond leur seraient substitués une fois l'hiver commencé. Par mauvais temps, pluie ou froid intense, il y aurait toujours le gymnase.

Laurie voulait faire un jeu de toute cette entreprise. C'est en misant sur le plaisir qu'Alice avait le plus de chance de persister, c'est aussi de cette manière que l'intérêt des autres, et donc tout le support moral duquel Alice dépendrait, ne s'émousserait pas trop rapidement. Laurie décréta aussi l'obésité sujet du mois courant, autour duquel devraient tourner les travaux de recherches, les rédactions et les exposés oraux. Tout le monde pourrait ainsi bénéficier du nouveau programme qu'elle baptisa sur le coup, comme si l'expression l'avait toujours habitée : « *Health for Fun* ». Et la journée du 14 septembre, date de la création du projet, fut encerclée de rouge sur le calendrier de la classe.

Quelques jours plus tard, portée par l'enthousiasme, Laurie proposa à Alice d'aller consulter le médecin de Jackson Hole. L'adolescente trouva l'idée d'autant plus charmante que Laurie voulait le faire à l'insu de ses parents. Un rendez-vous fut obtenu pour la semaine suivante et, le jour venu, Alice téléphona à sa mère pour la prévenir qu'elle resterait à l'école quelques heures de plus, accaparée par un projet spécial. Les deux complices montèrent dans la voiture et quittèrent le village en maintenant le profil bas.

À partir de Swan Valley, il leur fallut emprunter la route trente et un jusqu'à Victor, là où se situait la banque de Mark, puis la vingt-deux en direction du Wyoming. Cette dernière, en lacet, les entraîna à plus de huit mille pieds d'altitude avant de les mener tout en bas, de l'autre côté des *Tetons*, à Jackson Hole. Petite bourgade où se mêlaient riches propriétaires de ranch, amateurs de sport et amants de la nature, point de chute après de longues journées de ski ou de randonnée dans *Tetons Park* ou Yellowstone, l'agglomération avait un charme et une animation qui plaisaient bien à Laurie. On y voyait toute sorte de monde, des touristes de tous les pays et même parfois des stars de cinéma. Comme il aurait fait bon vivre là, entouré d'un peu de confort et de civilisation, près d'un cinéma, d'une salle de spectacle et de quelques bars dansants!

Alice était montée dans la voiture avec un sac rempli de disques compacts qu'elle avait l'intention de faire découvrir à son professeur. Laurie l'avait prévenue qu'elle conduisait lentement et que le trajet, qui d'ordinaire durait une heure, allait certainement prendre près d'une heure trente.

Alice enfilait les disques, ne faisant jouer que quelques plages, parfois même interrompant la marche avant la fin de la pièce en expliquant d'où venait ce groupe, quelles étaient ses influences, et finissant généralement par un pronostic de carrière; certains ne seraient jamais capables de se renouveler au-delà de deux albums, d'autres perdraient leur chanteur, de toute évidence, attiré par des compositions et des arrangements plus sophistiqués, enfin ceux-là connaîtraient un grand succès s'ils osaient changer de manager. Ce qui distinguait Alice des autres adolescents avec qui Laurie avait parlé musique, c'est qu'elle n'était pas là pour affirmer ses préférences et partager le plaisir intime qu'une chanson ou une voix ou même un passage pouvait faire naître, elle tentait tout bonnement de dresser le portrait du paysage *hard rock* et de ses sous-genres. Elle faisait jouer autant les groupes qu'elle aimait que ceux qu'elle méprisait.

La clinique était aussi moderne que le docteur était antipathique. Les différentes questions que Laurie avait notées afin de ne pas les oublier l'agacèrent rapidement et ses réponses se limitèrent à de simples oui ou non qui trahissaient son manque d'intérêt. Il ne voulut pas, non plus, considérer le programme d'entraînement qu'ils avaient mis au point. Même s'il n'alla pas jusqu'à les dissuader d'essayer, il sembla les trouver naïves d'espérer perdre du poids dans un endroit où il n'y avait ni centre de conditionnement ni diététicienne. Finalement, quand Laurie demanda si Alice ne devrait pas subir des tests sanguins afin que soient vérifiés ses différents taux de cholestérol, de glycémie et d'hormones, tel qu'elle l'avait lu sur Internet, l'homme ne la prit pas davantage au sérieux.

— Cette petite est en parfaite santé, dit-il. Ça se voit d'ici.

Il écouta ses poumons, mesura son pouls et sa tension artérielle, puis, tout en leur indiquant la porte, il remit à Laurie une brochure de six pages expliquant les risques reliés à l'obésité. Laurie parcourut le fascicule sous les yeux du médecin puis le lui remit en expliquant que sa classe avait monté un dossier quatre fois plus fouillé sur le sujet et qu'elle pourrait volontiers lui en faire parvenir une copie s'il le désirait.

— Je savais que ton idée était stupide, lança Alice sur le chemin du retour. Je n'aurais jamais dû t'écouter.

Laurie ne prit pas la peine de répondre. En fait, elle commençait à le croire aussi. Montagnes, vallées et plaines, Alice détestait avec une puissance insoupçonnable l'ensemble de ce qui s'offrait à ses yeux. Sa haine roulait sur le paysage, fulgurante, comme le souffle d'une explosion.

Elle ouvrit la porte du réfrigérateur et sa mère apparut. Elle aurait donné pas mal d'argent pour avoir le temps de ramasser quelque chose et d'aller s'enfermer dans sa chambre sans que cette grosse truie ne surgise derrière elle.

— Je t'ai gardé une assiette, tu veux que je la fasse réchauffer ?

— Non.

— Préférerais-tu un sandwich ?

Chaque fois que sa mère lui offrait quelque chose à manger, elle lui disait en fait *je t'aime*. Depuis sa tendre enfance, Alice avait été gavée de ces mots, elle en était pleine maintenant, bien au-delà de la satiété, et voilà qu'ils remontaient dans sa bouche avec un goût aigre de vomissure. Alice attrapa une pomme et quitta la cuisine.

— Est-ce qu'il s'est passé quelque chose, Alice ?

Pendant quelques secondes, celle-ci craignit que sa mère ne la suive jusqu'à sa chambre. Elle avait peur de ne pas pouvoir réprimer l'envie de lui sauter à la gorge.

— Tu ne peux pas manger une pomme pour souper !

— *Fuck off !*

Deborah Hubbard regarda sa fille gravir l'escalier. Elle avait mal joué l'affaire. Comment avait-elle pu imaginer que toute cette histoire mourrait dans l'œuf ? Sa fille voulait maigrir, elle la soupçonnait même d'avoir déjà perdu quelques livres. Si elle s'arrêtait pour y réfléchir, elle voyait bien qu'il n'y avait pas de mal à ça. Mais très vite des sentiments sournois, surgis d'elle ne savait où, venaient embrouiller son esprit. Et ne restaient plus que ces émotions indomptables, étranges, s'empilant et confondant toute pensée rationnelle, qui criaient que les choses ne devaient surtout pas changer.

Kevin rangea la cuisine puis il monta embrasser sa mère, alitée pour une troisième journée consécutive. Il passa à la salle de bain vérifier sa coiffure, dévala l'escalier, ramassa son sac préparé la veille et fit irruption dehors dans la lumière et l'air pur d'octobre comme s'il venait enfin d'être expulsé du ventre jaloux de la maison. Il enfourcha sa bicyclette et prit le chemin de l'école. Si chacun pouvait être révélé par une image clé, si une seule scène pouvait traduire l'essence même d'un individu, Kevin choisirait celle-ci : un ciel bleu surplombant la route parfaitement droite, les chevaux de son père paissant à droite, le pic enneigé du mont *Baldy* à gauche, et lui, debout sur le pédalier, quadriceps gonflés, se battant contre l'impitoyable *Irwin Wind*. S'il y avait des moments durant lesquels il se sentait à l'étroit, des moments durant lesquels la pression d'un ciel si vaste et l'enserrement des montagnes se faisaient presque insoutenables, c'était aux commandes de sa bicyclette. Une fois en mouvement, enivré des hormones relâchées par l'effort, l'envie de ne plus s'arrêter et de quitter la vallée l'empoignait solidement à bras-le-corps.

Quand Laurie descendit de la voiture, elle fut bien vite entourée des plus jeunes. Kevin, quasi euphorique, arriva peu après, les joues rougeoyantes et le souffle court. Laurie l'aperçut du coin de l'œil, mais elle continua de répondre aux questions, d'écouter tous les comptes rendus du matin sans tourner les yeux vers le jeune homme. Il approcha lentement et quand elle sentit sa présence à ses côtés, elle posa simplement sa main sur son épaule tout en maintenant son attention sur les plus jeunes. Voilà, Kevin était revenu.

On lui présenta Alice ainsi que l'extraordinaire branle-bas qu'on avait mis en place, deux semaines et demie plus tôt, pour l'aider à perdre du poids. Leur première rencontre ne laissa rien présager de ce qu'il adviendrait plus tard. Elle fut courtoise, sans plus, et bien sûr chargée de regards scrutateurs. Dès les premières secondes, instinctivement, chacun de son côté conclut que l'autre n'avait pas la trempe d'un candidat amoureux. Certes, Alice était ravie de trouver quelqu'un de son âge, mais elle craignait, à voir l'allure du garçon, qu'ils partageassent peu d'intérêts communs. Kevin eut à peu près le même sentiment mais doublé d'une certaine crainte. Si la corpulence d'Alice ne le rebutait pas, s'il trouvait même un certain charme à son visage joufflu, en revanche sa dureté l'intimidait. Au fil des heures, cependant, à bien observer les filles et Tim graviter autour d'elle, il fut rassuré quant à son affabilité. Sous ces airs bourrus se cachait probablement quelqu'un de doux, de sensible et de tendre. C'était dans la nature de Kevin de vouloir l'imaginer ainsi.

Ce fut autre chose qui les lia. Évidemment, en tant que doyens de la classe, ils durent partager certaines tâches de tutorat et d'animation, mais au-delà des considérations académiques, ce fut leur lien avec Laurie qui traça dès lors une ligne invisible entre eux. Si elle offrait son amour, son support et son dévouement à tout un chacun, Alice et Kevin obtenaient une part plus importante d'elle-même; c'était la dernière année qu'elle pouvait influer sur eux et elle rêvait de leur donner une impulsion qui les suivrait longtemps après leur départ. Elle-même ne l'aurait pas formulé ainsi, mais dans les faits, elle aurait souhaité que l'impulsion soit assez puissante pour les propulser loin de Swan Valley.

Quant à l'aspect de la foi, il va de soi qu'il eut son rôle à jouer dans cette première rencontre. Si une certaine curiosité assaillait Kevin – la jeune fille venait de Houston alors qu'il n'avait jamais, de toute sa vie, mis les pieds dans une grande ville –, Alice n'était pas mormone, donc, par définition, il n'était pas censé s'intéresser à elle. Même si une partie de lui-même n'en croyait rien, dissidence qu'il partageait d'ailleurs avec ses parents, il reste que le discours de son Église contribuait à créer un sentiment de rejet, peut-être flou mais certainement réel, à l'égard des non-mormons.

Alice avait déjà pris goût à certains jeux de groupe, dont le *dodge ball*, où, même si elle n'était pas très mobile, un certain don pour attraper le ballon lui permettait de faire damner bien des garçons. Cette après-midi-là, dans le gymnase, c'est Kevin qui tenta, en vain, de venir à bout d'elle.

— *Hey, fuck face*, arrête de faire semblant et tire pour vrai !

— Alice, ton langage ! protesta aussitôt Laurie.

Mais il était trop tard, les jeunes ricanaient déjà, non mécontents que l'indélogeable Kevin rencontre enfin quelqu'un de sa trempe. Le duel dura un bon moment sous les applaudissements et les encouragements et si Alice ne parvint pas à éliminer Kevin, la victoire morale lui fut consentie. Au coup de sifflet de Laurie, signifiant la fin de l'échange, Kevin éclata d'un grand rire sonore. La détermination de son opposante l'avait impressionné. Dès lors, l'entreprise d'amaigrissement de la jeune fille devint celle du jeune homme aussi.

Matt Rosensweig avait quitté Swan Valley pour Hollywood à l'âge de seize ans. Après avoir tenté sa chance comme acteur, il était devenu l'adjoint d'un instructeur privé qui l'avait remarqué au gym. De fil en aiguille, il s'était lui-même constitué une clientèle de *wannabes* qui, à défaut de pouvoir se payer l'entraîneur que tout le monde se devait d'avoir, s'offraient son subordonné en faisant courir la rumeur que l'élève allait bientôt dépasser le maître. Ce qui n'arriva jamais, tout simplement parce que Matt n'en avait pas l'ambition.

À quarante ans, fatigué du strass, Matt s'était installé à Missoula, au Montana, où il lui arrivait encore de travailler auprès de stars qui possédaient des ranchs dans la région. Mais en règle générale, on pouvait le trouver au *Bodies by Bender* où il avait été embauché à titre de consultant. Une fois par mois, plus ou moins, il parcourait les deux cent cinquante milles qui le séparaient de Swan Valley pour venir manger avec sa vieille mère. Évidemment, en tant que célébrité locale, il était connu de tout le monde, seulement, personne n'aurait osé lui demander un tel service. Si ce n'est Mark, le mari de Laurie, qui passa chez la vieille Rosensweig afin d'obtenir le numéro de son fils et qui prit l'initiative, à l'insu de l'institutrice, de le contacter. Un silence absolu s'installa donc dans la classe multi-âge quand Matt, avec ses six pieds trois et ses deux cent trente livres bien tassées apparut dans le cadre de la porte.

— Bonjour, Matt...

— Bonjour, Laurie. Comment allez-vous?

Il était revenu d'Hollywood avec une certaine classe, une élégance qui, additionnée à l'humilité typique des gens de la région, lui conférait un charme indéniable.

— Si vous n'y voyez pas d'inconvénient, Laurie, j'aimerais dire quelques mots à Alice Hubbard.

Toutes les têtes se tournèrent vers la jeune fille. Laurie, qui n'arrivait pas à lier les deux individus, acquiesça tout bonnement à la demande.

— Oui, bien sûr. Ici ou à l'extérieur de la classe?

— Non, non, ici ce sera très bien.

Alice, qui était probablement la seule à ne pas savoir de qui il s'agissait, allait se lever quand Matt lui intima de rester à sa place.

— Tu ne me connais probablement pas...

Alice n'avait pas encore fait «non» que déjà les murmures et les chuchotis s'élevèrent en une sorte de brouhaha duquel elle put tout de même attraper quelques mots : Hollywood, stars, cinéma...

— En fait, je suis venu te proposer mes services.

Une fois l'émoi passé, Matt sortit de son sac le nécessaire pour peser, mesurer et évaluer la masse lipidique de chacun. L'entraîneur allait concevoir un programme d'exercices pour Alice, en tenant compte de l'absence d'équipement et du fait que tous les membres de la classe, garçons et filles, jeunes et moins jeunes, devaient y participer. Laurie, reconnaissante, redevable même presque jusqu'à l'embarras, invita spontanément Matt à manger à la maison. Il déclina l'invitation, expliquant que la tradition voulait qu'il mangeât avec sa mère, mais qu'en revanche il serait ravi de passer prendre un café – mot qu'il accompagna d'un clin d'œil – en soirée, dès que sa mère serait couchée, c'est-à-dire vers huit heures trente.

Il était rare que des gens viennent chez les Rivers. On pouvait sentir une sorte de fébrilité. Mark, fier de son coup, était particulièrement enthousiaste. Ils rangèrent la maison et, à l'heure où habituellement ils enfilaient leur pyjama, ils passèrent des vêtements propres.

— Ouf! J'ai bien besoin d'un verre, lança Matt en arrivant.

La compagnie de sa mère avait le don de développer chez lui une formidable soif. Si au fil des ans elle avait cessé de s'inquiéter de sa santé physique – il s'entraînait quotidiennement et suivait son alimentation de près –, la vieille femme se concentrait maintenant sur la précarité de son métier et s'appliquait, chaque fois qu'elle voyait son fils, à glisser un chèque dans sa poche tout en le mettant en garde contre les gens riches, qui vivent dans une autre réalité et qui ont souvent tendance à croire que tout se marchande en ce bas monde.

Madame Rosensweig vivait seule sur une propriété, évaluée à plus d'un million et demi de dollars, qu'elle détestait. «Ton père a voulu me tuer en m'amenant vivre ici», répétait-elle. La maison de six chambres, sise sur vingt-cinq acres de terre dont près d'un demi-mille bordait la *Snake*, était ridiculement grande pour une femme qui passait ses journées à lire au salon. Matt avait beau essayer à chaque visite de la convaincre de déménager près de chez lui, au Montana, elle répondait inévitablement la même chose : «Et abandonner le rêve de ton père?»

— Ah! les mères juives! lança Matt en guise de conclusion.

— Ah! les mères! renchérit tout simplement Mark. Il avait perdu la sienne il y avait deux ans de cela. Et la seule évocation de son souvenir arrivait encore à le chambouler. Matt, sincèrement compatissant, lui offrit ses sympathies avant de se tourner vers Laurie.

— Et toi? Encore des problèmes avec la tienne?

Laurie se contenta de faire «non» en souriant, sans s'étendre davantage sur le sujet, cependant qu'un malaise palpable s'échappait d'elle et se répandait dans la pièce.

Quelques flocons fondaient en touchant le sol alors que le soleil, perçant les nuages, touchait la ligne des montagnes. Les jours raccourcissaient et la vallée se préparait à entrer dans sa longue hibernation. Laurie marchait vers sa voiture, son sac débordant de travaux à corriger à la main, fatiguée par les séances d'exercices et les heures supplémentaires qui se multipliaient. Elle n'avait pas remarqué la voiture de Madame Hubbard stationnée à côté de la sienne. Quand elle ouvrit sa portière, la femme sortit de son véhicule.

— Ah! Bonjour, madame. Alice est déjà rentrée à la maison, dit-elle en souhaitant de tout son cœur qu'il s'agît bien du motif de sa présence.

La femme approcha du véhicule de l'institutrice. La démarche était menaçante, volontairement intimidante et les traits étaient durs et crispés.

— Ç'a assez duré.

— Quoi, madame?

— Vous allez laisser Alice tranquille, sinon je la retire de votre classe.

Laurie, obnubilée par les résultats qu'elle obtenait, l'enthousiasme qu'elle voyait au sein de sa petite communauté et toutes les transformations personnelles qui s'étaient opérées depuis le début du programme, ne pouvait concevoir qu'on voulût mettre un frein à son entreprise. Elle allait de ravissement en ravissement, observant ses ouailles, dont Kevin, qui vivaient de grands moments non seulement de solidarité mais aussi de générosité et de compassion. L'effet de communauté était lancé et la cellule vivante progressait, auto-suffisante. Pour chaque membre qui se désintéressait momentanément de l'entreprise, un ou deux autres redoublaient d'ardeur. Et s'il se trouvait que le moral des troupes était au point mort, le passage de Matt venait galvaniser l'ensemble.

— Vous ne voyez pas ce que je vois, madame Hubbard. C'est fantastique ce qui se passe ici.

— Je vois Alice et ça me suffit.

— Elle change, elle s'ouvre, je la vois s'épanouir de jour en jour.

Encore une fois, Laurie aperçut sur le masque dur de Madame Hubbard une émotion qui voulait poindre, mais qui n'atteignit jamais la surface.

— Jetez votre dévolu sur quelqu'un d'autre, sinon je porte plainte à la direction. Vous devez savoir qu'il est assez facile de faire fermer une de ces écoles.

Le samedi suivant, comme à chaque week-end, Kevin vint chez Laurie rattraper une partie du temps perdu en début d'année. L'institutrice et l'élève s'installèrent dans le petit bureau où ils passèrent près de trois heures penchés sur les livres d'anglais et de mathématique.

Laurie s'était surprise à chantonner, le matin, en déjeunant, parce qu'elle savait qu'il allait venir dans les heures qui suivaient. Malgré la menace de Madame Hubbard, elle avait l'impression que quelque chose s'accomplissait. Était-ce la volonté de Dieu? Laurie, de confession protestante évangélique, ne fréquentait plus l'église depuis qu'elle était mariée. Sa foi était un amalgame d'enseignements religieux reçus durant ses années de pratique, de bon sens et de phrases clés glanées ici et là. «Sur cette terre, l'œuvre de Dieu passe vraiment par nos mains[1]» figurait parmi ses préférées. Chacun ici-bas était investi d'une fonction, la sienne lui semblait de mieux en mieux définie.

Laurie consacrait les trente dernières minutes de ces rencontres à la lecture. Elle sortit *The Catcher in the Rye*[2] de la bibliothèque et le tendit à Kevin. Elle aimait fermer les yeux et laisser la voix du garçon s'emparer d'elle ou, à son insu, observer ses cheveux soyeux, sa nuque élancée mais puissante et la peau délicatement hâlée de son visage. Son corps en constant changement, modelé par le travail physique du ranch, la fascinait.

---

1. John F. Kennedy.
2. J.D. Salinger, *The Catcher in the Rye*, Boston, Ed. Little, Brown and Company, 1951.

Kevin butait fréquemment sur les mots, mais son âge coïncidait avec celui du personnage central et narrateur Holden Caulfield, ce qui agrémentait l'expérience de Laurie. Ce roman, qu'un certain Monsieur Jones l'avait forcée à lire à peu près au même âge que Kevin, avait marqué son imagination. Holden Caulfield tentait par son ironie et son cynisme de se protéger de la douleur et de la déception du monde adulte. Le ton moqueur et révolté du jeune narrateur convenait si bien aux lecteurs adolescents que Laurie, comme beaucoup d'autres jeunes filles à l'époque, s'était entichée sérieusement du héros. Aujourd'hui, bien sûr, Laurie suivait les affres et les pérégrinations du jeune homme avec un certain sourire, mais aussi, il fallait bien l'admettre, avec une certaine nostalgie. *Holden Caulfield, Kevin Perowski, Alice Hubbard, Laurie Rivers, suspendus, hésitants, entre le monde de l'enfance et le monde adulte.*

— J'ai un service à te demander, Kevin.

Le jeune homme referma le livre.

— On a Madame Hubbard sur le dos. Il va falloir ralentir un peu nos activités durant les heures de classe, mais j'aimerais que tu prennes la relève à l'extérieur, le soir ou le week-end.

L'institutrice découvrit qu'elle était enceinte durant la première semaine de novembre et beaucoup de choses s'éclairèrent. L'impression d'être en train de changer qui l'envahissait parfois n'était-elle pas le signe de cette mutation finale à venir ? Déjà, la lumière prenait une nouvelle teinte, les objets familiers, les végétaux une coloration plus pure, plus tranchée. Les verts marqués des épinettes et des cèdres se découpaient sur le bleu pétant du ciel. Le jaune des *cotton trees* criait contre le brun ocre des collines. Sa perception du temps aussi se transformait. Il lui semblait ressentir avec davantage d'exactitude le passage des heures. Comme si la vraie valeur des choses sortait au jour, comme si jusqu'à maintenant on lui avait menti sur son corps et sur l'univers qui la contenait et qu'elle avait enfin accès à la vérité. Était-ce l'effet des hormones déjà présentes dans son sang? Peut-être, oui, sûrement, il faudrait qu'elle en parle à son médecin.

Avec le secret qu'elle portait maintenant, le champ de sa vie s'élargissait et personne ne pouvait en soupçonner l'ampleur. Il en résultait un sentiment de grande liberté et d'indépendance, un sentiment qu'il devint difficile de sacrifier. Elle regardait parfois Mark en mesurant l'avantage qu'elle avait enfin sur lui. Il était arrivé dans la région pour occuper son nouveau poste à la banque de Victor – *the first Teton bank!* –, de passage à Swan Valley il avait rencontré Laurie, alors aux études à l'extérieur, mais elle-même en visite chez sa mère. Un an plus tard, il avait acheté cette maison et prétendu qu'elle était trop grande pour lui. Son diplôme en main, Laurie, qui avait pourtant pris goût à l'effervescence de la vie étudiante, à la culture et aux autres attraits que pouvait offrir une ville universitaire, rentra dans sa région natale par amour. Mark avait assumé les coûts du mariage comme ceux du voyage de noces puis lui avait offert la petite Ford en guise de présent.

Il partageait les tâches ménagères, il s'informait chaque soir de sa journée et l'écoutait raconter en détail les avancées et les régressions de chacun de ses élèves. Elle lui devait tout. Et voilà qu'elle portait dans son ventre la seule chose qu'elle pouvait lui offrir.

Un autre sentiment, celui-là beaucoup plus difficile à cerner, avait fait son apparition. Il surgissait parfois quand Laurie était seule, mais ne persistait jamais. Il montait, fulgurant, puis s'évanouissait. Sa composition restait floue, un peu comme un objet qu'on distingue sous les branchages, un peu comme Nelly McCann sous la surface de l'eau ; une portion de la forme familière suffit à allumer dans l'esprit l'idée d'un objet, mais un doute subsiste quant à sa réelle nature. Ainsi, Laurie avait l'impression par moments qu'un ressentiment à l'égard de Mark grouillait quelque part, sous un enchevêtrement de sensations. Bien qu'elle fût toujours prompte à chasser cette idée, la sensation revenait de manière récurrente, mais toujours avec la même imprécision.

Alors qu'elle roulait vers Idaho Falls, à la hauteur de Ririe, soit à une trentaine de milles à l'ouest de Swan Valley, la pulsion fut irrépressible. Elle quitta donc la route vingt-six pour gagner la petite localité. Elle passa une première fois devant la maison de bois afin de s'assurer que la voie était libre puis elle revint se garer un peu en retrait. La messe achevait, elle ne tarderait sûrement pas. Laurie n'avait pas l'intention de lui adresser la parole, encore moins de lui dire qu'elle était enceinte. Ou alors elle pourrait le lui cracher au visage, le lui lancer comme une gifle !

Elle attendit près d'une heure avant que le claquement d'une paire de bottes de cow-boy attire son attention. Sa mère se profila entre deux voitures, de l'autre côté de la rue, au bras d'un homme que Laurie ne connaissait pas. Il devait avoir dix ou onze ans de plus qu'elle, soit cinquante-trois ou cinquante-quatre. Ils disparurent derrière une fourgonnette garée le long du trottoir puis réapparurent quelques secondes plus tard. La femme riait, simulant une légèreté adolescente en s'accrochant au bras de l'homme. Lui se tenait bien droit, fier, claquait du talon en racontant quelque épisode de sa vie. Angela Rivers l'écoutait en le regardant du coin de l'œil, sourire aux lèvres, se délectant de chaque mot de son histoire. Quand ils passèrent derrière une seconde voiture, l'espace de quelques secondes, Laurie n'aperçut plus que leurs têtes. Lui, sa chevelure blanche bien fournie et sa bouche sans lèvres qu'il dissimulait derrière une grosse moustache ; elle avec sa longue tignasse blonde, dévitalisée par les teintures successives, encadrant son visage marqué par le remords et la résignation.

Une fois devant la maison, l'homme lui fit un baise-main. Laurie détourna la tête quand sa mère tenta de monter les trois marches du balcon comme une jeune fille, avec entrain et énergie, son cul et ses hanches, déformés par les années et les mauvaises habitudes alimentaires, pétant dans son jean mal coupé, annihilant d'un seul coup tous ses efforts.

Laurie débraya, fit demi-tour et reprit le chemin de Idaho Falls. Elle débarqua chez Monsieur Jones vers une heure trente. C'est à lui que Laurie devait d'avoir terminé son secondaire et poursuivi des études supérieures. Le vieil homme ouvrit la porte et son visage s'illumina. Chaque fois qu'il voyait Laurie, Monsieur Jones, affublé d'une sensibilité hors de l'ordinaire, la regardait comme sa propre fille, avec un étonnement sans cesse renouvelé, comme si elle était passée de seize à vingt-six ans dans le courant de la nuit.

— Laurie !

Le vieux professeur fut si heureux d'entendre la nouvelle que des larmes apparurent avant toute chose, même un sourire, même un battement de cils. Il tirait son mouchoir de sa poche quand Madame Jones arriva et demanda, le front plissé, quel malheur venait encore de frapper.

— Laurie est enceinte, pleurnicha-t-il.

Les mots vibrèrent jusque dans le cœur de l'institutrice. Ainsi prononcés, par une autre voix que la sienne, ils actualisaient brusquement l'événement et levaient le voile sur les peurs et les appréhensions qui l'accompagnaient. Madame Jones les entraîna au salon afin que son mari puisse s'asseoir. Ses yeux rougis et gonflés avaient pris un air vitreux et délavé. On eût cru effectivement qu'un malheur venait d'arriver.

— Je savais que tout finirait par s'arranger, dit-il. Pauvre petite…

Il avait tant pleuré pour elle à l'époque. Laurie songea que c'était à elle qu'il devait ses yeux congestionnés et son nez couperosé.

— L'as-tu annoncé à ta mère ? demanda le vieil
homme.

— Non, pas encore…

Mark voulait des enfants depuis le tout début, Laurie
croyait même se souvenir qu'il en avait parlé dès leur
premier rendez-vous. Pour le plaisir et pour cultiver l'excitation, parfois, Laurie avait cherché à savoir pourquoi,
quelles étaient les images qui venaient à l'esprit de son
amoureux, qu'est-ce qu'il espérait trouver dans cette
aventure, mais Mark se rabattait toujours sur la même
formule, qui pour Laurie revêtait des accents peu mas-
culins : se sentir complet.

Elle avait pensé à de la joie, de l'euphorie, elle avait
pensé à de l'inquiétude, à de la peur, elle avait évoqué
surtout l'idée de tout ça entremêlé, mais jamais elle
n'avait anticipé l'expression de son soulagement. Mark
eut l'air soulagé, comme si on venait de lui ôter un
poids. Il descendit au sous-sol chercher la bouteille de
champagne qu'il gardait pour l'occasion. L'espace d'une
seconde, le temps d'un éclair, Laurie le méprisa avec
tant de fulgurance que le sentiment l'étonna elle-même.

Le lundi matin elle l'annonça à ses élèves et les jours
qui suivirent furent éminemment joyeux. La nouvelle
se répandit dans la vallée et chaque fois que Laurie
croisa quelqu'un de nouveau, de Karen, la postière, à
Tom, le caissier du *Phillips 66*, une nouvelle bouffée
de bonheur jaillit des quelques phrases un peu conve-
nues, il faut bien l'admettre, qu'on prononça à son

intention. Les allers et retours entre l'école et la maison devinrent le lieu de tous les fantasmes. Les images éclataient autour d'elle et l'habitacle se trouvait saturé de sensations chaudes, petit corps nu posé sur son ventre, gazouillis, hoquets, bouche goulue suçant son sein, menotte serrant de toutes ses forces son index.

Quand Laurie vit le superviseur du *Charter School Board* descendre de sa voiture, dans le stationnement de l'école, son cœur se serra. Avec l'avènement de sa grossesse, avait-elle négligé le nuage qui planait ? Deborah Hubbard avait-elle mis sa menace à exécution ? Son regard croisa celui d'Alice. La jeune fille sentit le malaise de l'institutrice et tourna la tête à son tour vers la fenêtre. Elle aperçut l'homme, attaché-case à la main, qui marchait vers l'entrée de l'établissement. Venait-il sonner la fin de toute cette aventure ? Laurie intima à ses élèves l'ordre de se tenir droit afin d'accueillir comme il se devait son supérieur. Puis, plaquée contre la porte de la classe, elle attendit, une éternité lui sembla-t-il, de reconnaître ses pas dans le corridor.

— Ceci n'est pas une visite normale, annonça-t-il d'emblée. J'ai une mission.

Son ton solennel aurait pu impressionner une classe du primaire, mais ici, il suscitait plutôt la moquerie. Laurie, quant à elle, retrouva quelques couleurs.

— Je suis venu remettre à chacun d'entre vous un certificat de mérite. La direction est hautement impressionnée par la réussite de *Health for Fun*.

Il s'adressa alors plus spécifiquement à Alice.

— C'est toute une prouesse que vous avez accomplie, jeune fille.

Il ouvrit donc son attaché-case pour en sortir une pile de certificats signés de sa main. Les plus jeunes eurent aussitôt le réflexe de se lever, mais il insista pour qu'ils gardent leur place. Et ce fut lui qui, un peu pompeusement, parcourut les allées afin de remettre ses brevets confectionnés à l'ordinateur.

— Maintenant les enfants, je vous prierais d'applaudir votre institutrice, sans qui rien de tout cela n'aurait été possible.

Les enfants applaudirent et sifflèrent de toutes leurs forces tandis que Laurie les invitait à se taire d'un geste flou de la main. L'euphorie gagna définitivement la petite assemblée quand le superviseur décréta le lundi suivant journée de jeux, de sport et de divertissement.

— Une dernière chose, dit-il solennellement. Je vous annonce que l'expérience *Health for Fun* sera tentée dans une école de Lincoln, au Nebraska.

Laurie parcourut les douze milles qui la séparaient de la maison sans s'en rendre compte, littéralement emportée par le torrent de ses pensées. L'homme lui avait demandé de collaborer avec l'enseignante de Lincoln afin d'élaborer une mouture du programme adaptée aux spécificités de la nouvelle école.

— C'est extraordinaire! répétait Mark, tu te rends compte de ce que tu as accompli du fin fond de l'Idaho?!

— Ils veulent tenter l'expérience dans cette école, avant de la lancer à la grandeur de la commission scolaire.

— Imagine, si tout se passe bien, pourquoi ça ne deviendrait pas un programme national ?

— Tu ne crois pas que ce sera trop dans ma condition ?

— Mais non, qu'est-ce que tu racontes, tu te portes à merveille !

C'est vrai qu'elle ne s'était jamais sentie mieux, aussi vibrante de vie. Les événements, les gens, elle recevait tout avec une lucidité hallucinante.

— Et qui te dit que ça demandera tant de travail ? Peut-être quelques appels, quelques échanges de courriels...

— Oui, c'est vrai, tu as raison.

Le samedi 19 novembre, Laurie prit l'avion à Boise, effectua une correspondance à l'aéroport international de Minneapolis pour atterrir à Lincoln, au Nebraska. Quand elle quitta l'aire de sécurité avec sa petite valise noire à roulettes, Sandy Cocker, trente-quatre ans, l'attendait en souriant.

Les deux femmes avaient convenu de ne pas travailler avant le lendemain. En revanche, Sandy avait planifié tout un programme pour la soirée. Une fois dans la voiture, le stress s'amenuisant, Laurie ressentit fortement la fatigue du voyage. Malgré l'enthousiasme de Sandy, elle songea à sa condition et trouva le courage de décevoir l'institutrice en réclamant une heure ou deux de répit. Sandy conduisit donc Laurie au Holiday Inn du centre-ville.

Le garçon d'étage lui expliqua le fonctionnement du système d'air conditionné, lui signifia les quelques numéros de téléphone essentiels à la quiétude et au confort de son séjour et lui fit une courte démonstration du fonctionnement du minibar. Tout ce temps, Laurie chercha de la monnaie dans son sac, en regardant alternativement le jeune homme et le fond de son portefeuille, car elle s'inquiétait davantage d'avoir l'air mal éduquée en ne donnant pas suffisamment que de retenir ce que l'employé disait.

Une fois seule, alors qu'elle avait rêvé du moment où elle pourrait se laisser choir sur le lit, elle eut du mal à se détendre. Les moteurs qui l'activaient habituellement n'avaient plus cours ici, mais l'énergie du mouvement subsistait. Elle parcourut la pièce, alla aux fenêtres, considéra la vue sur Lincoln, ouvrit le minibar et consulta la liste de prix – qui la découragea de boire la bouteille d'eau gazéifiée dont elle avait envie. Finalement, elle passa aux toilettes et ouvrit les robinets de la baignoire à plein régime. Elle choisit un liquide moussant dans le panier d'osier posé sur la vanité, déchira l'enveloppe plastifiée et fit jaillir la solution sous l'eau courante. Le second interrupteur de la pièce actionnait une ampoule chauffante installée au plafond. Laurie l'activa et attendit que l'effet se fasse ressentir. Elle enleva ses vêtements et les laissa tomber à ses pieds. Elle toucha son ventre puis caressa ses seins afin de réveiller leur sensibilité. Elle respirait déjà plus librement. Elle inclina la tête vers l'arrière afin de bien sentir la chaleur cascader sur son visage. L'odeur de bain moussant à l'hamamélis se répandait doucement dans la pièce.

Elle retourna dans la chambre pour récupérer des sous-vêtements propres et constata que sa nudité, ici, ne se ressentait pas de la même manière qu'à la maison.

Elle trouva quelques prétextes pour marcher davantage : fermer les rideaux, ranger son linge dans les tiroirs de la commode, accrocher son manteau, finalement elle laissa tomber tout prétexte et elle circula simplement dans la pièce, en se regardant passer dans les différents miroirs. Parfois elle levait les bras ou décrivait des cercles afin de délier ses épaules, parfois elle glissait une main sur son flanc, sur ses fesses afin de les raviver à son esprit de manière à bien ressentir l'espace qu'elle occupait à l'intérieur de ce corps et l'espace que ce corps occupait dans ce lieu. *Une chambre d'hôtel du Nebraska*, laissa-t-elle tomber comme s'il s'agissait d'un titre.

Elle avait promis à Mark de l'appeler une fois à destination, mais elle n'arrivait pas à s'y astreindre. Après le bain, elle s'étendit sous les couvertures dans l'espoir de dormir quelques minutes. Mais bien vite ses yeux se rouvrirent. Il y avait tellement de possibilités ici. Elle passa un coup de fil à Sandy qui sauta dans sa voiture, ramassa Laurie devant l'hôtel et lui fit faire un bref tour du centre-ville avant de l'inviter au restaurant.

Sandy s'avéra d'agréable compagnie. Laurie la trouva drôle et dégourdie. Elle se surprit même à l'envier. Sandy s'adressait au serveur avec assurance, elle était légère et surprenante. Son éloquence n'avait rien à voir avec la répartie comique des femmes de Swan Valley, entraînées à répondre aux sarcasmes rustauds des hommes. On y dénotait une finesse, un raffinement, un sens du jeu même, qui n'existaient pas chez elle. Laurie détailla à fond son visage et son corps et conclut sans amertume que Sandy était plus attirante qu'elle et qu'elle avait certainement plus à offrir.

De retour à l'hôtel, elle trouva un message de Mark. Il lui souhaitait bonne nuit et préférait ne pas être réveillé si elle rentrait passé onze heures. Il était à peine dix heures trente, mais comment pourrait-il le savoir? Elle fut soulagée, étonnée même du sentiment de libération qui s'emparait d'elle, mais elle n'y vit rien de bien malicieux.

Le lendemain, Lincoln se réveilla sous la neige. Laurie s'habilla à la hâte et sortit faire quelques pas dans la ville. Sandy lui avait parlé du campus de l'université et de ses jardins. Laurie suivit la neuvième rue jusqu'à l'intersection de *Q Street*, qu'elle prit à droite jusqu'à la treizième. Les grilles de l'entrée principale s'ouvraient sur le *Love Garden*. À l'origine, il consistait en un large espace gazonné entouré de lits de roses rouges, mais son réaménagement, dans les années quatre-vingt, inspiré par des préoccupations de conservation, l'avait transformé en plate-bande d'annuelles indigènes qui changeait d'allure au gré des fleuraisons. Les quelques tiges qui étaient encore dressées en ce temps froid ployaient sous le poids de la neige fraîchement tombée. *Le* Love Garden *semble bien triste*, pensa-t-elle.

La journée du dimanche fut fort productive. Il était rare que Laurie travaille en compagnie d'autres adultes. Elle en retira une grande satisfaction. Les idées circulaient, rebondissaient même, d'un esprit à l'autre. Les moindres détails s'étoffaient, prenaient de la valeur et du panache. L'excitation était si grande que, n'eût été de Sandy qui lui rappela sa condition, Laurie n'aurait même pas pris la peine de luncher.

L'amoureux de Sandy arriva en fin d'après-midi avec du vin et des fleurs. C'était la première fois que Laurie passait une soirée en compagnie d'un black. Athlétique et cultivé, aussi charmant que drôle, son rire était si communicatif qu'à peine le repas entamé, Laurie ressentait déjà un élancement à la mâchoire.

Une fois étendue dans le lit de sa chambre d'hôtel, galvanisée par le plaisir et l'excitation, elle n'arriva pas à s'endormir. Elle nourrissait tellement d'espoir en ce qui avait trait à son projet qu'elle repassa chaque point afin de s'assurer que les décisions qui avaient été prises durant la journée étaient les bonnes. Puis son esprit se fixa sur Sandy et Laurel. Elle les revit, comme en une sorte de ballet chorégraphié, préparant le repas dans la cuisine ouverte. Elle revit leur légèreté, la soif de chacun de boire les paroles de l'autre, de découvrir ses idées, de savourer ses mots d'esprit. Elle revit leurs baisers, de moins en moins discrets, leurs mains caressant une épaule ou un dos, cherchant machinalement la main de l'autre. Et même, alors que le vin commençait à produire ses effets, une cuisse qui poussait un peu sur la cuisse de l'autre, une hanche qui brossait une fesse au passage et les coups d'œil répétés que Laurel lançait vers la poitrine de son amoureuse.

Laurie ne put s'empêcher d'imaginer qu'ils étaient en train de faire l'amour. Ces grandes mains et ces lèvres charnues sur la peau blanche de Sandy. Ce qu'elle imaginait était d'une grande beauté et d'une grande sensualité. Une sorte de danse où les corps entraient en rapport dans le monde physique, mais mus par une volonté spirituelle. Rien à voir avec leur relation, à Mark et à elle, où les choses du corps, le domaine de la sexualité, reposait sans apparat au fond d'une fiole qu'il fallait bien ouvrir de temps en temps afin d'en prendre une dose, comme s'il s'agissait d'un médicament. Les doigts noirs imprimant leur forme dans la peau blanche comme dans un objet de valeur qu'on ne nous arrachera pas, comme un homme au bord de la noyade qui laisse sa marque dans la perche qu'on lui tend. Laurie avait-elle déjà senti qu'elle était la possession de Mark?

Il y avait de fortes chances pour que Mark fût déjà endormi, mais voilà qu'elle se sentait terriblement seule. Voilà qu'elle s'en voulait d'avoir eu ces pensées sur son compte, d'avoir comparé leur vie de couple à celle de deux étrangers qui s'entredéchiraient peut-être chaque fois qu'ils se retrouvaient seuls. Et alors que d'un côté elle se trouvait mauvaise et ingrate, de l'autre émergeait la haine floue de son mari. Elle s'arrêta afin de tenter de suivre ce sentiment, de remonter à sa source. Elle resta assise sur le lit, bien droite, les yeux fermés, et rien ne vint sinon l'idée que son corps était comme une brûlure, comme un feu incandescent qui ne trouvait plus de répit. Soudainement, elle voulut plus que tout entendre sa voix et lui dire qu'elle l'aimait. Elle prit le combiné et composa le numéro de la maison. La sonnerie retentit trois fois avant qu'elle ne commence à s'interroger; dormait-il? Fallait-il le réveiller? Après le quatrième coup, elle raccrocha brusquement. Était-il sorti? Puis l'incertitude fit place à l'inquiétude. Et s'il lui était arrivé quelque chose? Elle reprit le téléphone et composa de nouveau le numéro. Au deuxième coup, quelqu'un décrocha.

— Résidence Rivers, bonjour.

— Mark?

— Non, Laurie, c'est Matt!

— Oh! Matt, comment vas-tu?

— Bien et toi?

Après avoir échangé quelques politesses, Matt passa l'appareil à Mark. Le mari raconta comment l'entraîneur, en visite chez sa vieille mère, s'était retrouvé en soirée chez les Rivers pour boire une bière. Laurie et lui partagèrent quelques informations polies sur leur journée respective puis elle le laissa retourner à son invité.

Sandy enseignait en douzième année, ses élèves avaient donc, à l'exemple d'Alice et de Kevin, quinze et seize ans. Laurie raconta son expérience en exagérant le pittoresque de la situation de Swan Valley afin de gagner l'attention de son auditoire. Les élèves de cette petite ville considéraient Swan Valley comme le fin fond du monde et n'en revenaient tout simplement pas qu'il existât encore aujourd'hui, dans leur pays surdéveloppé, des écoles d'une seule classe. Puis la communication fut établie par téléphone avec la remplaçante de Laurie. Tel que cela avait été prévu, Alice fut invitée à s'adresser à la classe afin de livrer son témoignage.

La jeune fille prit la parole avec une assurance qui étonna. En peu de mots, elle raconta son arrivée dans cette drôle d'école et décrivit l'attention particulière que lui avaient portée Laurie et ses élèves. Quand elle les nomma à tour de rôle, chacun se manifesta vocalement, et Laurie, à plus de sept cents milles, fut étrangement émue d'entendre ses protégés. Alice conclut en expliquant qu'elle avait perdu vingt-quatre livres en soixante-cinq jours et qu'elle en souhaitait autant à quiconque aurait l'ambition de tenter l'aventure.

Le programme, dans une version simplifiée, fut lancé sur une base volontaire. Deux jeunes filles et un garçon acceptèrent le défi et une quinzaine d'élèves s'engagèrent à les épauler. Les petits déjeuners devraient être fournis par les parents et les activités sportives auraient lieu après les classes. La différence majeure était certainement l'implication de Sandy, qui voulut bien accorder quelques heures de son temps au projet mais rien de comparable à ce que donnait Laurie. Ne restait plus qu'à obtenir le consentement des parents et même, suivant les règles administratives de la commission scolaire, une décharge de leur part visant à protéger l'école contre tout recours. Laurie, qui avait négligé cette procédure, préféra ne pas réfléchir aux conséquences possibles de son manquement.

À l'heure du lunch, elle se joignit à la table des professeurs. Un toast fut porté à sa santé et on la bombarda de questions sur le pourquoi et le comment de cette magnifique initiative en louangeant chaque partie du programme, qui lui était pourtant apparu si simplement. Puis le moment vint pour chacun de reprendre son poste. Les deux femmes se serrèrent très fort et Laurie se retrouva subitement seule, dans la cafétéria déserte.

Une fois à l'hôtel, elle rassembla ses vêtements et ses articles de voyage. L'énergie engendrée par la fatigue nerveuse lui fit faire quantité de pas inutiles tout en désorganisant son esprit. Elle était bombardée d'inquiétudes et d'appréhensions : trouver un taxi, arriver à temps à l'aéroport, passer la sécurité, mais la plus troublante restait certainement de revoir Mark. Son visage trahirait-il sa déception de rentrer si vite ?

Quand le téléphone sonna, elle répondit sans délai, comme par réflexe, sans même se demander qui pouvait l'appeler ici, si bien que le choc fut d'autant plus grand. Il n'existait pas de lien évident entre l'endroit où elle se trouvait et le grain rugueux de cette voix. Les sons éraillés qui sortaient de cette gorge, de ces cordes vocales distendues et noircies par le tabac, vibrant mollement au passage de l'air, lui donnèrent l'impression qu'ils venaient directement de l'intérieur de sa tête.

— Laurie, c'est moi.

Le corps de l'institutrice se figea, on aurait même pu croire qu'il se compactait. Ses yeux, après quelques secondes d'affolement, se fixèrent sur le papier peint du mur, laissant à son esprit le loisir de courir se réfugier dans un endroit sombre et tranquille où presque rien ne pouvait l'atteindre.

— Monsieur Jones m'a annoncé la nouvelle.

Sa main libre battait l'air au bout de son bras comme si un geste à venir avait été interrompu. Ses doigts contractés donnaient l'impression d'être déformés par la maladie.

— J'ai appelé Mark à la banque. Il m'a donné ton numéro. Je voulais que tu saches que je suis très contente que tu sois enceinte. J'ai très, très hâte d'être grand-mère.

— Je dois te laisser, maman, j'ai un avion à prendre.

— Tu sais à quel point je t'aime… Je me demande seulement pourquoi il fallait que je l'apprenne par Monsieur Jones.

— Je vais manquer mon avion, maman, je vais t'appeler bientôt. Dans quelque temps, promis.

Cette fois, Laurie ne lui laissa pas l'occasion de relancer la conversation, elle la salua et raccrocha aussitôt.

Le samedi suivant, alors que la voix de Kevin lisant *The Catcher in the Rye* l'avait emportée loin, très loin, une vive douleur saisit Laurie au ventre. Les yeux fermés, elle attendit que l'élancement disparaisse en priant Dieu de ne pas lui enlever un autre enfant. Et cette fois encore sa prière ne fut pas entendue.

— Pauvre Laurie…

La nouvelle était tombée au téléphone, le choc avait été si grand que l'appareil avait glissé des mains du vieil homme. Laurie était assise sur le divan et son visage restait de marbre.

— C'est moi qui suis punie alors que c'est elle, la responsable.

— Laurie, ne dis pas ça. Et puis de quoi pourrais-tu être punie? demanda Monsieur Jones. Ton engagement auprès de ta communauté est exemplaire. Mark, assis dans un fauteuil, les coudes posés sur ses genoux, tenait sa tête entre ses mains. Et comme chaque fois qu'il était question de Dieu, son inconfort était palpable.

— Depuis mes seize ans que je suis punie. Qu'est-ce qu'il faudra que je fasse pour me racheter?

Mark baissa les yeux. La condition de Laurie ne soulevait pas d'inquiétude, le docteur avait suggéré une ou deux journées de repos, sans plus, et le couple pourrait réattaquer son projet d'enfant dans quelques semaines.

— Je crois plutôt qu'il faut y voir un appel, Laurie. De toute évidence, Dieu pense que tu es plus utile à la communauté en restant libre d'enfant.

Laurie écarquilla les yeux. À l'autre bout du fil, Monsieur Jones, après un moment d'hésitation, lâcha qu'après tout, c'était la perte de son premier enfant qui l'avait menée à la vie d'enseignante. La perte du second ne venait-elle pas confirmer les volontés du Créateur?

— Sonde ton cœur avec attention, Laurie.

Kevin rit à gorge déployée quand Alice lui révéla qu'elle n'avait jamais approché un cheval de sa vie. Puis il s'arrêta et la considéra avec prudence.

— Tu te moques de moi?

— Non, pas du tout.

Il hocha la tête. C'était la première fois qu'il entendait parler d'une Texane qui ne savait pas monter à cheval. Ils reprirent le chemin de l'écurie. Alice suivait le garçon des yeux. Il y avait quelque chose dans sa façon de marcher qui fascinait. Quand il était chez lui, du moins. C'est vrai, à bien y penser, à l'école il n'avait pas tout à fait la même aisance. Ici, sur le petit ranch, son corps était davantage délié. Son dos droit, ses bottes solides, lui conféraient une démarche impressionnante pour un garçon de quinze ans. Alice se sentait bien maintenant en sa compagnie, toutes les étapes de pudeur et de gêne avaient été franchies, avec lui comme avec tous les autres d'ailleurs. Ils l'avaient tous vue, humiliée, pissant la sueur, crachant ses poumons, s'effondrant par terre à bout de forces. Il n'y avait plus d'image à sauvegarder, elle avait été décapée jusqu'à l'os, couche après couche, orgueil, suffisance, vanité, tous liquéfiés avec les gallons et les gallons d'eau suée. Elle ne souffrait plus d'offrir son corps imparfait aux regards ni de déambuler dans des vêtements chaque jour un peu plus grands. Elle savait que ses semblables y discernaient autre chose, que leur perception approchait lentement de la sensation intérieure qu'elle développait d'elle-même. Ils l'avaient vue se battre, perdre une autre livre à l'arraché, rager sur la peau flasque de son ventre, blaguer sur ses seins tombants puis ils avaient surpris dans son regard, derrière toute la dureté dont elle était capable, une véritable lueur d'espoir.

Malgré les tentatives pathétiques de sa mère pour l'en extraire, Alice vivait maintenant dans un univers composé de gras, de muscles, de sécrétions, d'odeurs,

d'ecchymoses, de courbatures et de névralgies. Toute
son attention tournait autour des corps. Le sien en
premier lieu puis celui des autres. Les fonctions qui nor-
malement étaient prises en charge automatiquement,
comme respirer et marcher, revenaient à sa conscience.
À chaque seconde de chaque minute, son enveloppe
résonnait à son esprit, comme dans le champ de son
propre sonar. L'univers se déclinait en corps, immobiles ou se mouvant, croissant ou dégénérant, se raffer-
missant ou s'affaissant. Tout n'était plus qu'esthétique
et architecture, traits, ossatures et courbes. La carrure
des garçons, leurs cuisses, les hanches et le postérieur
des filles, leur poitrine, Alice les analysait instantané-
ment, sans réfléchir. Épaules trop étroites ou tombantes,
fesses rebondies ou en gouttes d'eau, jambes arquées
ou tordues, ce que chacun dégageait structurellement,
ce qu'il pourrait accomplir ou là où il échouerait, tout
scintillait, de sorte que quand elle suivit Kevin dans
l'écurie, elle analysa la largeur de ses épaules, descendit le long du dos que la veste molletonnée dissimulait
puis s'attarda aux petites fesses musclées qui saillaient
sous le jean. Elle aimait la façon dont elles semblaient se
répondre, d'un pas à l'autre. Elle n'était pas amoureuse
de Kevin. C'est pour cette raison et parce que les onze
dernières semaines passées en relation si étroite avec
son propre corps au vu et au su de tous l'avaient lavée
de toute pudeur qu'elle put lui demander le plus simplement du monde s'il n'aurait pas envie, par hasard,
de se dévêtir pour elle.

— Qu'est-ce que tu veux dire ?

Elle rit, aussitôt suivie par le jeune homme.

— Pourquoi ?

Le voilà qui rougissait, le jeu basculait déjà.

— Par curiosité. Je n'ai jamais vu de garçon.

Il eut une seconde d'hésitation durant laquelle ce fut surtout de l'incrédulité qui put se lire sur son visage. Il en avait envie. Il imaginait le geste et sentait bien qu'il pourrait être beau et excitant, mais il avait peur qu'elle le fasse marcher, qu'elle se moque de lui. Ils entrèrent dans l'écurie, Kevin toujours devant, et quand il entendit la porte se refermer, il se retourna en baissant son jean et son sous-vêtement du même élan, laissant son sexe battre l'air.

Alice observa l'organe quelques secondes. Elle savait qu'il fallait faire vite, qu'elle allait manquer de temps. Elle aurait voulu trouver une réplique comique, lancer une boutade pour désamorcer l'absurdité de la situation, mais la curiosité gela son esprit.

Kevin s'était exécuté par fanfaronnade, mais tout de même mû par l'excitation. Quand il remballa l'objet de tout cet émoi et gagna le premier box, ce fut sans se retourner afin de cacher à Alice la honte qui l'assaillait lentement, sensation proche de celle qu'il avait éprouvée lors de sa rencontre avec Maggie Fisher. Le désir ou la perspective de transgresser la Loi, Kevin estimait de plus en plus difficile de savoir ce qui l'excitait davantage.

Alice le suivit en cherchant quelque chose à dire, mais elle ne trouva pas plus. Elle était prise d'un désir quasi violent d'être belle. Elle voulait, elle aussi, presque jusqu'à la rage, avoir des choses séduisantes et bien proportionnées à offrir aux regards. Elle voulait être vue, être admirée, enviée. Le malaise qui sévissait entre eux persista quelques instants, jusqu'à ce qu'ils se retrouvent de part et d'autre d'un cheval et que l'animal accapare la conversation. Ils firent ensuite comme si rien ne s'était produit tout en sachant pertinemment qu'un jalon venait d'être posé. Ce soir-là, quand la maison serait noire et sans bruit et qu'il formulerait ses prières, Kevin devrait demander pardon. Voilà qui serait plutôt facile. En revanche, ce qui causerait certainement un problème, c'est qu'il ne faudrait pas recommencer. De son côté, Alice rejouerait le film dans son esprit : les pouces qui glissent sous le pantalon, le mouvement descendant des bras et le drôle d'organe, à la fois ridicule et ensorcelant, qui frétille à l'air libre, jaillissant d'une petite touffe de poils châtains à la jonction de deux cuisses vigoureuses.

Au *Lincoln Junior High*, bien que l'un des trois adolescents eût abandonné très tôt dans le processus, l'expérience fut considérée comme un succès ou, à tout le moins, en voie de le devenir. Les résultats étaient suffisamment encourageants pour qu'elle soit étendue à deux autres classes de la même école et que deux nouvelles tentatives soient faites l'une à Broken Bow, au Nebraska, et l'autre à Missoula, au Montana. Sandy Cocker s'occuperait de lancer celle du Nebraska et Laurie celle du Montana.

Au-delà des résultats tangibles que procurait le programme à ses participants, dans les coulisses de la pratique ses bienfaits se faisaient aussi sentir. Les enseignants et les administrateurs vivaient une période de grande excitation. Laurie avait développé une approche globale qui mettait à contribution toute la collectivité. C'est ce même système qui, impulsé par les communautés religieuses depuis le peuplement du territoire, avait permis au pays de s'imposer comme la première puissance mondiale. *Health for Fun* puisait sa force dans l'essence même de la nation.

Le 14 décembre, Laurie accorda sa première entrevue téléphonique à un journaliste du *Idaho Statesman*. Deux jours plus tard, un article intitulé « Laurie Rivers, faire pencher la balance » paraissait à la une du journal distribué à soixante-dix mille exemplaires. Laurie devint une star locale du jour au lendemain. Le matin fatidique, elle marcha dans la neige jusqu'au bord de la route pour prendre le quotidien dans la boîte de livraison et elle parcourut l'article sur place, ses pantoufles roses s'imbibant lentement de la neige fondante. Ensuite ce furent les collègues professeurs puis les parents qui manifestèrent leur fierté et enfin les étudiants eux-mêmes, excités à l'idée de faire partie de quelque chose d'envergure nationale. Quand Laurie serra Alice dans ses bras, l'adolescente, elle, se sentit partagée entre l'honneur qu'elle éprouvait et la crainte que le climat difficile qui régnait déjà à la maison ne continue de s'envenimer.

Après les classes, à la caisse du *Rainey Creek Country Store*, deux femmes âgées adressèrent leurs doléances à Laurie. Bien sûr, elle était toujours leur bonne petite

Laurie, mais maintenant elle avait rejoint le cercle restreint de ceux qui peuvent changer les choses.

— Restera plus qu'à t'attaquer à *Medicare*³, avait lancé la plus vieille à la blague.

En examinant les visages qui l'entouraient, Laurie se rendit compte que derrière les sourires et les sarcasmes, une impuissance désolante transparaissait.

— Peut-être que tu pourrais dire quelques mots au sujet de mon fils aussi? poursuivit la caissière. Je rêve de voir ces criminels reconnaître qu'ils ont vacciné nos enfants avec du poison!

Butterfield fils souffrait de fibromyalgie. Au moment de la guerre du Golfe, il avait reçu des vaccins expérimentaux, contre l'anthrax notamment, mais n'avait jamais été envoyé à l'étranger. Aujourd'hui, le gouvernement, qui refusait toujours d'admettre sa responsabilité dans l'histoire des vaccins, lui déniait toute compensation : pourquoi dédommager un vétéran pour le syndrome de la guerre du Golfe alors qu'il n'avait jamais quitté l'Amérique?

Ce soir-là, Laurie entreprit de consigner ses impressions, ses réflexions sur papier. Elle décrivit l'expérience depuis ses débuts, en septembre. Non pas en rédigeant des paragraphes entiers avec style comme s'il s'agissait d'un témoignage mais à raison d'une ou deux

---

3. Programme gouvernemental d'assurance maladie pour les soixante-cinq ans et plus ; ce programme est en difficulté à cause du vieillissement de la population, de la diminution du nombre de travailleurs qui le financent et de l'augmentation du coût des soins, deux fois plus rapide que celle du coût de la vie.

phrases clés par étape. Le squelette qu'elle obtint fut d'une limpidité exemplaire. Le chemin avait été droit, net, sans détour ni bifurcation. La simplicité avec laquelle les choses s'étaient mises en place depuis l'arrivée d'Alice fascinait. Comme si tout avait été tracé d'avance. Il fallait forcément rester humble dans la réussite quand elle s'accomplissait avec si peu d'embûches – pour la plupart générées par la propre mère de l'adolescente. La formule qu'avait prononcée Monsieur Jones au moment de la perte de son enfant, la phrase qui avait résonné à ses oreilles presque comme une condamnation, revint alors à son esprit ; *sonde ton cœur avec attention, Laurie*. Elle s'était crue froide face à la perte de son enfant, voilà qu'elle découvrait qu'elle avait été soutenue. Qu'elle avait été l'instrument de quelque chose de plus grand.

« Les vrais héros, ce sont les enfants qui acceptent de participer au programme, les enseignants qui y mettent les heures supplémentaires malgré des tâches déjà lourdes et les directeurs d'école qui réussissent à imposer le projet aux membres des conseils. » C'est ce que Laurie affirma sur les ondes de KPVI-TV, filiale locale de NBC, quand une équipe se déplaça jusqu'à Swan Valley pour tourner un reportage d'une minute trente secondes. La petite école n'avait jamais vu d'élèves si bien mis, coiffés avec autant de soin – ou décoiffés, c'est selon – et souriant avec autant de rigidité. Laurie ressentait une certaine nervosité, évidemment, mais comme la majeure partie de son énergie servait à faire en sorte que ses protégés vivent une expérience positive, elle s'adressa à la journaliste comme une professionnelle. Ceux qui eurent la chance de voir le reportage restèrent avec l'impression d'une jeune femme solide mais sympathique, près du peuple et surtout qui savait mettre sa cause devant ses besoins personnels.

Madame Hubbard, quant à elle, pleura abondamment, à l'abri du regard de sa fille. La douleur – ou était-ce de la rage ? – émergeait par vagues, roulant, compressant son ventre. De bonne foi, elle tenta bien de déterminer les causes exactes de cet épanchement, de sa violence surtout, mais, faute d'y voir clair, elle dut se rabattre sur l'idée que toutes ces années elle n'avait eu en tête que le bonheur, le bien-être et l'intégrité physique de son enfant, et voilà qu'elle avait l'impression d'être trahie par elle, d'être abandonnée. Si elle avait fouillé davantage, comme on retourne les pierres, Deborah aurait découvert une peur froide tapie quelque part. Une partie inconsciente de sa personne pressentait l'imminence d'un danger.

Le commentaire de Laurie concernant les enseignants et les directeurs d'école n'était pas innocent, elle l'avait préparé la veille de l'entrevue dans le but délibéré de galvaniser les *ego* de quelques haut placés. Mission accomplie, le vendredi suivant, lors de son passage à l'école, son superviseur lui annonça que trois nouvelles tentatives seraient lancées sous peu : une dans le Wyoming et deux en Floride, où une chaîne de centres de conditionnement physique offrirait même des laissez-passer gratuits aux élèves qui s'inscriraient au programme.

Ce qui se produisit par la suite fut si étonnant que Laurie elle-même crut à un canular. Un jour, en rentrant de l'école, elle trouva, sur son répondeur téléphonique, un message du département de l'éducation du gouvernement des États-Unis. Une fois le choc passé, soit quelques bonnes respirations plus tard, la jeune femme trouva le calme nécessaire pour rappeler l'individu.

— Bonjour, est-ce que je pourrais parler à Madame Sullivan?

— Qui dois-je annoncer?

— Laurie Rivers.

— Oui, madame Rivers, je vous la passe immédiatement.

Laurie garda les yeux fermés jusqu'à ce qu'elle sente une coupure dans la ligne.

— Madame Rivers, comment allez-vous?

— Bien.

— Je suis particulièrement fière de faire votre connaissance, madame.

— Merci, lâcha-t-elle timidement.

— Laurie, vous avez entendu parler du *National Prayer Breakfast*?

— Oui.

— Monsieur le Président voudrait savoir si vous accepteriez de venir nous rencontrer, ici, à Washington, à l'occasion du cinquante-quatrième?

— Euh… oui, madame, bien sûr.

— Cette année, le petit déjeuner aura lieu le 2 février au *Hilton Washington Hotel*…

Alice, près de trente-sept livres en moins, se tenait debout devant le miroir de sa chambre. Nue, les bras ballants, elle tournait lentement sur elle-même en essayant de garder les yeux dans la glace. Il y avait dans la maison une odeur de gâteau qui lui donnait envie de pleurer. L'heure du souper approchait et il faudrait qu'elle résiste à l'assiette surchargée que sa mère lui présenterait. Elle refuserait aussi le dessert et l'autre insisterait à deux ou trois reprises, la ferait sentir coupable de ne pas honorer sa part du marché – je t'aime à travers la nourriture et en échange tu manges mon amour –, pour finir par piquer une crise et la renvoyer dans sa chambre. Pourquoi cette odeur de gâteau lui donnait-elle le goût de pleurer? Voilà des semaines que les envies de gâteries ne l'atteignaient plus. Mais cette odeur qui cavalait dans la maison, coulant sous les portes, mordait non pas son ventre, comme auparavant, mais son cœur. Elle la détestait, *fat-assed bitch!*, avec son tablier, ses spatules et ses cuillers de bois. Elle secoua la tête, revint à la glace en s'évertuant à fixer son attention sur son corps. L'excédent de poids qui lui restait se concentrant surtout au-dessus de la ceinture, elle décréta qu'elle avait l'air d'une poule.

Où tout cela allait-il la mener? Elle y avait pensé souvent, heureuse de voir l'aiguille de la balance descendre lentement. Mais maintenant qu'elle était presque comme les autres, aurait-elle le courage de s'arrêter? Son dos s'était redressé, ses pieds avaient pris de la vigueur, soulagés de tout ce poids, ses bras et ses jambes – déjà longues et puissantes – s'étaient raffermis, ses chevilles quelque peu affinées, mais à partir de sa taille, c'était encore empâté. Les treize livres qui la séparaient de son objectif seraient probablement prélevées de là, de ce centre mou, de cette faiblesse. Puis elle serait invulnérable, hors d'atteinte. Son visage s'éclaira. Elle offrit son profil au miroir, ramena ses coudes contre ses flancs, cambra le dos, sortit les fesses et leva la tête avant d'agiter les bras comme de petites ailes.

L'ampleur de la nouvelle tâche lui semblait aussi effrayante que celle de la première. Elle avait été enfermée dans un corps grossissant, voilà qu'elle l'était dans un corps maigrissant. La spirale était tout aussi infernale mais l'issue beaucoup plus inquiétante. Qu'est-ce qu'il y aurait après ? Il allait falloir mettre ce corps sur le marché des corps, voilà ce qu'il y aurait. Elle en avait envie, mais si peur ! Laurie lui avait appris à croire que tout était possible. Maintenant, elle pouvait imaginer qu'un garçon puisse la désirer. Un garçon ou un homme ? Elle le sentait depuis quelque temps. Les hommes de trente ou quarante ans la regardaient avec leurs yeux qui savent la valeur du désir et la valeur d'une prise plus jeune. Sa bouche lui semblait jolie sous cet angle, surtout depuis que son visage s'était aminci. Elle imaginait qu'on puisse vouloir s'en approcher pour y poser les lèvres. Après, pour ce qu'il y aurait à faire après, attendre étendue sur le dos comme un paysage, encourager, flatter l'*ego*, reconnaître et trier le plaisir entre la crainte, la tension et la douleur, convertir sa féminité et sa sensualité en spectacle, voilà qui serait exigeant, mais possible, tout était possible maintenant que son corps était souple et fort et délié. Est-ce vraiment le parfum suave et vanillé qui vint à bout d'elle ? Elle vit le tour de sa bouche et les ailes de son nez rougir. Elle avait terriblement vieilli depuis quelques temps. Puis les larmes apparurent.

L'*International Ballroom* qui accueillait l'événement pouvait contenir trois mille convives sans problème. Chaque année, les cent dix mille pieds carrés servaient à une foule d'événements internationaux de haut prestige. Laurie fut installée avec huit enseignants et directeurs d'école, ceux-là de Cincinnati, en Ohio, membres de *Answers in Genesis*, une organisation chrétienne sans but lucratif qui promeut la théorie créationniste selon laquelle la Terre et la vie auraient été créées par Dieu voilà six à dix mille ans. À leur manière, mais avec une ardeur et un enthousiasme qui valaient certainement ceux de Laurie, ces éducateurs se battaient pour faire reconnaître leurs idées par les bonzes de l'enseignement. Souriants et visiblement heureux d'être reçus par la Maison-Blanche, ils reçurent à leur tour Laurie avec chaleur.

À la longue table d'honneur, à l'avant de la salle, étaient assis le Président et la première dame, le roi Abdullah II de Jordanie, quelques sénateurs républicains aussi bien que démocrates et le chanteur Bono, ici à titre de fondateur de l'organisation DATA qui voue ses énergies à convaincre les dirigeants des pays riches de donner davantage aux pays africains, en adoptant parallèlement des politiques de commerce qui n'entraveront pas leur développement économique.

Quand tous les convives furent servis, les discours et les prières d'usage commencèrent. Davantage que celle du Président ou même celle du chanteur populaire et activiste, ce fut l'intervention du démocrate Obama Barack, seul Afro-Américain à siéger au Sénat, qui toucha le cœur de Laurie. Le sénateur de l'Illinois lut les versets trois à douze du chapitre douze de la lettre aux romains. Les sixième, septième et huitième plus particulièrement trouvèrent un écho chez l'institutrice; « 6 Nous avons des dons différents à utiliser selon ce que Dieu a accordé gratuitement à chacun. Si l'un de nous a le don de transmettre des messages reçus de Dieu, il doit le faire selon la foi. 7 Si un autre a le don de servir, qu'il serve. Celui qui a le don d'enseigner doit enseigner. 8 Celui qui a le don d'encourager les autres doit les encourager. Que celui qui donne ses biens le fasse avec une entière générosité. Que celui qui dirige le fasse avec soin. Que celui qui aide les malheureux le fasse avec joie.» Les enseignants présents à la table échangèrent des regards teintés d'une certaine émotion. Qu'ils militassent pour faire modifier les livres de sciences ou pour redonner aux obèses une vie normale, il était réconfortant de savoir que Dieu lui-même reconnaissait le sacrifice qu'exigeait leur œuvre.

Comme le déjeuner s'étirait en longueur, le Président et la première dame durent s'excuser. Ils furent escortés jusqu'à la sortie côté cour. Alors que Laurie les observait, un brin déçue, comme beaucoup de convives, une jeune femme se présenta à elle avant de s'incliner de manière à s'approcher de son oreille.

— Pour vous, madame Rivers…

Laurie saisit l'enveloppe aux couleurs de la Maison-Blanche. Ébahie, elle suivit ensuite des yeux la jeune femme qui s'éloignait déjà. Elle ne savait pas ce que l'étiquette prescrivait : fallait-il décacheter l'enveloppe tout de suite ou attendre plus tard, dans l'intimité ?

Au grand désappointement de ses commensaux, elle glissa et sa main et la missive au fond de son sac où toutes deux reposèrent sagement jusqu'à la fin officielle de la cérémonie.

Deuxième partie

À Ririe, la petite Ford quitta la route vingt-six et gagna lentement le chemin de l'église. Durant les jours d'accablement qui suivirent le courriel de Martin Thomson, Laurie, en révisant la genèse du drame, nota que les faits s'étaient enchaînés avec bonheur jusqu'à ce que sa mère resurgisse dans sa vie. Cette idée, à force d'être retournée et caressée, vint à se durcir, à se polir. C'est à la suite de son appel téléphonique, alors qu'elle s'apprêtait à quitter Lincoln, au Nebraska, que quelque chose dans son ventre s'était déréglé. Sa mère lui avait arraché son deuxième enfant aussi et tout ça, pour une raison qui lui était mystérieuse, avait mené à la fin de son implication dans *Health for Fun*.

Quelques jours après son retour de Washington, les supérieurs du *Charter School Board* avaient prié Laurie de fournir un document systématisant les différentes étapes de son programme. Par le moyen des lignes téléphoniques, le dossier qui contenait tout ce qu'il fallait pour reproduire l'expérience autant de fois qu'on le voudrait fit son entrée au Conseil. Dans les heures qui suivirent, mis en forme puis télécopié ou envoyé par courriel, il sillonna l'Amérique comme un frisson afin que les curieux qui voulaient le consulter et les volontaires le mettre en pratique puissent le faire. C'est ainsi qu'il parvint à Martin Thomson, l'enseignant du Montana. Le jeune homme recopia l'adresse électronique de Laurie qui figurait à titre de référence et lui écrivit qu'il était très excité à l'idée de tenter lui aussi cette expérience. Le document était si clair, précisait l'enseignant en terminant, qu'il ne voyait pas l'utilité pour Laurie de se déplacer jusqu'à Missoula, tel qu'il avait été prévu.

— Laurie, tout le monde vous est extrêmement reconnaissant, déclara son supérieur du *Charter School Board*, mais il vaut mieux maintenant que vous consacriez vos énergies à l'enseignement. C'est là votre véritable travail.

— Est-ce que Deborah Hubbard a quelque chose à voir avec votre décision?

— Qu'est-ce que Madame Hubbard vient faire là-dedans?

Désormais, donc, dans toutes ces classes, toutes ces écoles, sa création vivrait, des stratégies seraient échafaudées, surtout l'excitation et l'enthousiasme bouillonneraient alors qu'ici, dans cette vallée impossible à quitter, entre la maison et l'école, avec son mari qui ne la désirait pas et son ventre vide, l'immobilité reprendrait ses droits.

C'était elle qui avait mis au monde cette cure d'a-maigrissement qui allait redonner une vie normale à des milliers, voire des dizaines de milliers d'adolescents! On avait parlé d'elle dans les journaux et à la télévision! Elle avait été invitée à Washington! Elle avait cette lettre, signée de la main de la femme du Président, qui l'encourageait à poursuivre la belle et noble mission que Dieu lui avait assignée! Comment pouvait-on l'exclure de l'opération avec si peu de considération?

Les jours qui suivirent furent donc terriblement noirs. Laurie, en proie à de vives émotions, dut s'interroger : *pourquoi ma souffrance est-elle si vive?* Les récents développements n'entachaient en rien sa foi en la méthode. Que tous ces jeunes gens, où qu'ils soient, puissent en profiter la ravissait. C'est ce qu'elle avait toujours voulu. Et si sa mission n'avait été que de courte durée tout simplement parce que c'était ainsi que le Créateur l'avait voulue? Bien sûr, cela n'écartait pas le fait que son chagrin et son désappointement étaient réels. Ils l'étaient. Elle les sentait palpiter dans son cœur, elle les distinguait même très clairement, posés sur une table en inox, comme les fruits d'une ablation. Elle comprenait. Parfois, cependant, son esprit quittait la voie de la raison pour dévier vers sa mère et le ressentiment ranimé qu'elle entretenait envers elle. À l'inverse, cette portion de la souffrance était floue et brouillonne et échappait complètement à son analyse. Les pensées, les images y étaient désorganisées et pêle-mêle, et les sentiments que ces dernières faisaient naître remuaient en elle des ombres sombres et inquiétantes. Pour revenir à la réalité, il lui fallait redresser la barre subitement, comme on braque les roues pour éviter un corps sur la chaussée.

Elle décida de cacher à son mari les développements récents, elle se trouva un motel abordable à Missoula et le réserva pour deux nuits, celles du dimanche et du lundi. Elle manquerait deux journées d'école, tout était arrangé avec sa remplaçante habituelle. Elle voulait croire de tout son être que ce court séjour à l'extérieur, son dernier, lui permettrait de remonter à la surface et de tourner définitivement la page. Elle quitta la maison en direction de l'autoroute quinze qui menait au Montana. Elle roula lentement, avec le sentiment d'avoir pris la bonne décision, rassurée par le calme et la sérénité qu'elle ressentait. Mais à l'approche de Ririe, l'amertume que soulevait sa mère renversa tout de nouveau. Comme attirée par le foyer de son inconfort, Laurie abandonna la route vingt-six et gagna lentement le chemin de l'église. Il avait neigé durant la matinée, mais les marches avaient été dégagées. Le balai aux fibres synthétiques était appuyé sur le mur, près de la porte. Sur le perron, Laurie discerna les exclamations d'un public de télévision. Elle approcha son visage du carreau vitré et distingua sa mère endormie sur le canapé de velours.

Quand Angela Rivers ouvrit les yeux, elle mit quelques secondes à comprendre ce qui se passait. Le poste de télé était maintenant ouvert à une chaîne de dessins animés. Elle tourna la tête et crut voir une ombre passer dans la cuisine. Il y avait quelqu'un chez elle. Son cœur s'emballa jusqu'à venir cogner dans ses oreilles.

— Qui est là ?

Laurie entendit le faible appel mais ne daigna pas se manifester. Elle se tenait devant le comptoir de cuisine, raide, les mains posées sur la surface laminée. Angela fit un autre pas, cette fois en tendant la tête vers l'ouverture de la porte.

— William, c'est toi?

— William? Qui est William? lança la fille en éclatant de rire.

— Oh Laurie, mon Dieu! Tu m'as fait si peur. Il y a longtemps que tu es là?

— Le temps de préparer ce sandwich.

Angela parcourut le comptoir du regard et découvrit l'assiette, les tranches de pain à plat sur le plan de travail, le pot de mayonnaise. Il y avait bien six ou sept mois qu'elle n'avait pas vu sa fille. Laurie plongea un couteau dans la substance blanche.

— Je suis venue chercher un livre. Je crois que je l'ai laissé ici.

— Un livre? Quel livre?

Angela n'y comprenait rien. La joie de voir sa fille se mêlait d'une certaine incrédulité.

— Oh, j'ai oublié le titre. Je vais monter voir dans ma chambre.

— Il n'y a pas de livres dans ta chambre.

Le couteau tinta sur le comptoir, le maculant de sauce. Angela regarda sa fille attaquer l'escalier en essayant de reconnaître les signes de sa grossesse. Elle suivit le bruit de ses pas à l'étage mais le parcours lui parut désordonné et incompréhensible.

— Laurie? cria-t-elle.

— Quoi?

— Tu trouves ?

Laurie apparut au haut de l'escalier. Son visage avait pris une teinte rougeâtre, elle avait chaud.

— Non.

Elle descendit l'escalier et passa devant sa mère sans la regarder.

— Je dois partir.

Elle traversait déjà le salon.

— Et ton sandwich !

Voilà qu'elle ouvrait la porte d'entrée.

— Laurie ! Laisse-moi te regarder un peu !

Les pentures grincèrent et la porte vint battre contre le cadre.

— Laisse-moi voir ton ventre ! cria Angela une fois sur le perron. Je veux voir ton ventre !

Au beau milieu de la rue, Laurie Rivers se plaça de manière à présenter son profil à sa mère, elle écarta les pans de son manteau et souleva son chandail jusque sous ses seins, dévoilant, en souriant, son ventre parfaitement plat.

Une vingtaine de milles plus loin, elle atteignit l'autoroute quinze. Le temps continuait de se dilater et dans ce creux, cet espace laissé libre, le chagrin, la fatigue accumulée des mois précédents et maintenant la culpabilité d'avoir menti à Mark et d'avoir agi de la sorte avec sa mère, ne cessaient de venir la percuter. À Spencer, moins d'une heure plus tard, elle arrêta dans un restaurant pour trouver un téléphone.

— C'est moi.

— Ça va, Laurie?

La voix de son mari.

— Qu'est-ce qui se passe?

— Rien, tout va bien, je voulais seulement te dire que je t'aime. Je pensais à toi et je me suis dit «quelle chance tu as, Laurie Rivers, d'avoir un mari pareil».

— Oh, Laurie...

— J'avais très envie de te parler. Je suis désolée.

— Mais pourquoi?

— Pour tout. Je suis désolée pour tout.

— Je ne comprends pas.

— Tout ce mal que je te fais.

— Mais quel mal, Laurie?

— Je t'aime.

— Moi aussi, Laurie, qu'est-ce qui ne va pas?

Pour Laurie, prononcer les mots d'amour ravivait le sentiment à son esprit, réactivait le serrement de son cœur. Elle l'aimait véritablement.

— Bon, je te laisse si je veux arriver à l'heure.

— Tu as un rendez-vous dès ce soir?

— Oui, une sorte de cocktail de bienvenue.

— Un dimanche?

— Pas à l'école, chez la directrice.

— Tu es sûre que tout se passe bien?

— Oui, tout est parfait.

— N'oublie pas d'appeler Matt, il sera certainement ravi d'avoir de la visite.

— Oui, sans faute, dit-elle en souriant.

— Ça va mieux?

— Oui, ça va bien maintenant. Merci.

Il lui fallut quatre heures supplémentaires pour atteindre Missoula. La porte du motel verrouillée derrière elle, elle se mit à son aise. L'écart entre l'émotion qu'elle avait ressentie dans sa chambre de Lincoln, alors qu'elle était enceinte et que sa vie était riche, et celle qu'elle éprouva à Missoula, lui parut d'une cruelle tristesse.

Elle considéra la cafetière mise à sa disposition et elle hésita un moment. En fait, elle avait envie de prendre un verre. Elle était si fatiguée. Elle pourrait boire, voilà ce qu'elle pourrait faire, elle pourrait passer au *liquor store* acheter une bouteille de bourbon, ramasser quelques boîtes de coca-cola à la distributrice, remplir son bac de glace et se saouler tranquillement. Puis elle se souvint que c'était dimanche; la vente d'alcool était interdite.

Elle s'allongea sur le lit et elle s'endormit presque aussitôt. Vers onze heures, elle se réveilla, parfaitement calme et sereine, mais encore si fatiguée. Elle fit sa toilette, presque solennellement, puis elle se remit au lit, croyant que ça y était, que les choses étaient en voie de rentrer dans l'ordre.

Elle émergea du sommeil à cinq heures du matin. En vain, elle regarda la télévision dans l'espoir de se rendormir. Vers six heures, elle s'habilla et passa à la réception prendre un journal. Alors que le café gouttait dans la cafetière, elle parcourut les titres du *Times*, incapable de s'astreindre à lire le moindre article. À sept heures elle alla manger une bouchée : céréales, muffins anglais, fruits frais, inclus dans le prix de la chambre. À la réception, elle attrapa quelques brochures sur les choses à voir à Missoula. À sept heures trente, elle était de retour dans la chambre ; la journée s'étirait dangereusement.

À huit heures quinze, Laurie, les pieds mordus par le froid, marchait sur place dans le rectangle de soleil qui s'allongeait lentement devant l'école secondaire. Et chaque fois qu'un homme approchait de l'entrée, elle lui demandait s'il se nommait Martin Thomson.

Un vieux professeur, qui n'était pas sans lui rappeler Monsieur Jones, l'invita à venir se réchauffer à l'intérieur. Elle le suivit jusqu'à la salle des professeurs où des visages déjà familiers lui sourirent poliment. Un café lui fut servi et bien vite une enseignante s'approcha en la dévisageant.

— Vous ne seriez pas cette femme de l'Idaho ?

— Oui.

— C'est vous qui avez démarré ce programme ?

Un petit attroupement se forma autour d'elle et alors que le feu habituel des questions reprenait cours, Laurie retrouva vivacité et entrain.

— Voulez-vous voir une photo d'Alice ?

Martin Thomson, le jeune enseignant, invita Laurie à luncher. L'institutrice fut si brillante, si drôle et si enjouée que lorsque Martin dut partir parce que la cloche allait sonner d'une seconde à l'autre, il la salua avec beaucoup d'ardeur. Aussi baigna-t-elle longtemps dans l'impression chaude et enivrante d'avoir plu. Loin de chez elle, toute sorte de rôles s'offraient à elle. Elle n'avait qu'à choisir. Ici, à Missoula, en compagnie d'un charmant jeune homme, elle venait d'être Sandy Cocker pendant quelques dizaines de minutes.

La voix de l'homme qui répondit lui était inconnue.

— Est-ce que je pourrais parler à Matt, s'il vous plaît ?

— Je peux savoir qui parle ?

— C'est Laurie.

Puis la voix s'éloigna du combiné et Laurie entendit l'homme appeler l'entraîneur. Quand il sut qu'elle était en ville, Matt la pressa de venir le rejoindre sur le champ.

— Steven s'en va d'une minute à l'autre. Je suis libre toute la soirée.

Il lui aurait fallu des vêtements neufs. Voilà ce qu'elle devrait faire sous peu, se rendre à Idaho Falls ou même à Pocatello pour acheter de nouveaux vêtements. Elle pourrait y aller avec Alice ! La pauvre avait bien besoin de renouveler sa garde-robe, et de toute évidence il ne fallait pas compter sur Deborah Hubbard pour ça. Elles pourraient passer la journée ensemble, comme deux adolescentes, et écumer le centre commercial d'un bout à l'autre, bras dessus bras dessous. Une légère culpabilité venait exacerber son amour pour la jeune fille – Laurie ne l'avait-elle pas délaissée pour s'occuper de politicailleries ? Voilà qu'elle avait envie plus que jamais de se rapprocher d'elle, de partager des choses avec elle. Puis elle chassa cette idée, parce que tout ce qui l'attendait à son retour, la vie courante entre l'école et la maison, restait flou, imprécis et surtout inconfortable.

Avec en main les indications fournies par Matt, Laurie quitta le motel. Au cours du trajet, elle se demanda s'il y aurait quelque chose de différent entre eux, maintenant que Mark n'y était pas et qu'elle-même, une fois sortie de Swan Valley, avait le charme, la répartie et l'humour de Sandy Cocker. L'idée la fit rire. Ils prirent une table au *Hobnob Cafe*. Quand Matt commanda une bouteille de vin, Laurie n'eut pas le courage de protester. Après la première coupe, qu'elle but beaucoup trop vite, elle considéra longuement la bouteille. Arrêter après le premier verre, casser le goût de l'alcool avec quelques bonnes gorgées d'eau, voilà le secret. Elle allait commander une boisson gazeuse quand Matt la servit de nouveau, comme si c'était la chose la plus naturelle du monde.

Tandis que l'ivresse s'emparait d'elle, avec comme toile de fond Missoula sous la neige, Laurie Rivers, la vraie, celle que sa mère avait assassinée alors qu'elle avait seize ans, continua de resurgir du néant. Et l'institutrice comprit qu'elle avait toujours été là, juste au-dessous, qui forçait pour regagner la surface. Il ne s'agissait pas de Sandy Cocker, comme elle l'avait cru, il s'agissait d'elle-même. Elle ne changeait pas, elle redevenait la vraie Laurie, l'adolescente amoureuse et gaie qui chante à tue-tête dans le vieux pick-up avec Jason, son amoureux, à ses côtés et leur enfant dans son ventre. La jeune fille qui n'a peur de rien, qui sait qu'elle va mettre un enfant au monde et que les temps seront difficiles peut-être, mais qu'ils seront sous le signe de l'amour. Parce qu'il y en avait, en elle, une telle réserve, un tel stock, qu'elle allait prendre cette vie à bras-le-corps et leur montrer à tous de quel bois elle se chauffait.

Comment allait-elle garder cette nouvelle Laurie vivante? Comment allait-elle la maintenir à la surface? Le lendemain, sur le chemin du retour, quand les lumières de Ririe scintillèrent sur sa droite, Laurie sentit sa poitrine se serrer. La petite ville où dormait sa mère marquait le début d'un territoire qui risquait de l'engloutir. Plus tard, quand elle vit sa propre demeure émerger de l'obscurité, son ventre se noua davantage et sa respiration devint difficile. Elle allait étouffer, elle le sentait, elle allait manquer d'air. Le contact à peine éteint, Mark apparut sur le balcon. S'extirpant de la voiture, Laurie dut puiser au plus profond d'elle-même les forces nécessaires pour lui sourire.

Il prit ses bagages et se dirigea vers la porte d'entrée.

— Je vais prendre l'air un instant.

— À cette heure?

— Oui, j'ai chaud, je vais prendre l'air quelques minutes.

— Tu vas bien?

— Oui, Mark, je vais bien. Est-ce que je peux prendre deux bouffées d'air sans que tu me demandes pourquoi?

— Oui, pardon, excuse-moi.

Mark marcha jusqu'à la maison et Laurie hocha la tête en l'observant. Elle lui trouvait l'air ridicule, de dos comme ça, portant son sac de voyage. Puis elle s'en voulut d'avoir été rude. Quand il referma la porte derrière lui, elle n'arriva pas à s'accorder cette pause qu'elle désirait tant et, de peur que l'espace qui la séparait de la maison ne devienne infranchissable, elle lui emboîta le pas.

— Pardonne-moi, je suis fatiguée. La route a été longue.

— Ne te fie surtout pas à ce que tu vois dans les environs, professa Laurie en balayant le visage de larges coups de pinceaux, c'est tout faux. Pense discrétion, on doit se dire que tu as bon teint, pas davantage. Les gens ne sont pas censés savoir que tu es maquillée, il faut seulement qu'ils te trouvent un petit quelque chose...

À l'insu de ses parents, Alice passa la journée du samedi chez l'institutrice. Alors que Monsieur et Madame Hubbard l'imaginaient à cheval en compagnie de Kevin, elle était installée dans la chambre de Laurie et ensemble elles cherchaient une coiffure et un maquillage discret qui mettraient le nouveau visage de l'adolescente en valeur.

On eût pu croire que Laurie préparait Alice pour une sorte de cérémonie ou de rite. Quelque chose, effectivement, était en train de s'accomplir. Laurie travailla la chevelure de la jeune fille délicatement, en chantonnant. Alice ferma les yeux et décida que les mains, le peigne, les attaches dans ses cheveux étaient des caresses. Plus Deborah Hubbard exerçait de pression pour maintenir Alice à l'écart de Laurie, plus leurs personnalités se transformaient quand elles étaient ensemble, se fondant l'une dans l'autre.

— Le véritable amour, le pur, tu ne le rencontreras pas souvent, annonça Laurie. Mais tu sauras le reconnaître, ne t'inquiète pas. Tout ce que tu auras vécu avant te semblera futile et tout ce que tu vivras par la suite, si quelque chose d'extérieur venait vous empêcher d'être ensemble, tout ce que tu vivras après sera sans commune mesure et à jamais teinté par ton amour perdu.

Jusque-là, Alice avait écouté les enseignements de Laurie avec amusement, triant à la volée ce qui lui convenait ou ne lui convenait pas. Mais ces mots lâchés claquèrent dans l'air, et le silence qui suivit fut lourd et grave.

— Ce n'est certainement pas une raison pour t'empêcher de vivre les autres aventures! reprit Laurie.

Et les deux femmes rirent. Décidément, si on avait placé Alice à côté de la jeune adolescente qui avait emménagé à Swan Valley en septembre, bien malin celui qui aurait pu dire qu'il s'agissait de la même personne. Parfois, il est vrai, Alice se demandait si tout cela était utile, parfois, elle avait l'impression de changer quelque chose qu'elle aurait dû préserver. La ligne n'était pas facile à tracer. Qu'est-ce qui appartenait à la jeune fille obèse du fait de son obésité – et disparaissait lentement – et qu'est-ce qui appartenait vraiment et fondamentalement à Alice et qu'il fallait sauvegarder? La distinction méritait-elle d'être faite? Les deux étaient-ils vraiment dissociables? Le corps entraînait-il l'esprit ou était-ce l'esprit qui façonnait le corps?

— J'ai fait comme tu m'as suggéré, Laurie, j'ai rédigé une critique de disque et je l'ai envoyée au *Idaho Statesman*.

Dans l'édition du vendredi, la page deux du cahier principal s'intitulait *Teens' Turn*. Elle offrait une vitrine aux différentes activités qu'élaborait la jeunesse adolescente de l'Idaho.

— Je suis sûre qu'ils vont la publier. Tu verras.

Ce samedi-là, ce fut Mark qui alla reconduire Alice parce que Laurie n'aimait pas prendre la voiture quand il neigeait. Le trajet, qui durait habituellement une dizaine de minutes, en prit vingt. Alice était assise bien droite, Mark conduisait prudemment, toute son attention fixée sur la route. Les flocons décrivaient une courbe devant la voiture et venaient s'écraser dans le pare-brise. L'air dans l'habitacle était chaud et bon. Ils virent au loin deux yeux scintiller dans la lumière des phares. Alors que les contours de l'animal commençaient à se dessiner, il gravit avec difficulté la congère et disparut, de peine et de misère, dans la pinatelle.

— Il a trop neigé cette année, les cerfs sortent du bois.

Comme Alice ne répondait pas, Mark se tourna vers elle pour voir ce qu'elle en pensait.

— Je me sens belle, dit-elle sans le regarder.

Le reste du trajet se fit en silence. Puis Mark immobilisa la Subaru devant le chemin privé qui menait à la résidence des Hubbard. Deborah, que la méfiance et la suspicion ne quittaient plus, écartait justement le rideau de la cuisine pour jeter un œil sur la route. Malgré la noirceur, et même si elle ne put reconnaître avec précision de quel véhicule sa fille descendait, elle sut hors de tout doute qu'il n'avait pas le gabarit du pick-up des Perowski.

— Je te parie qu'elle était avec cette Laurie !

— J'ai l'esprit plus tranquille quand elle passe la journée chez son professeur que chez ce garçon.

— Kevin est mormon, Adrian !

— Et tu crois que les mormons de seize ans ne bandent pas vingt fois par jour comme les protestants ?

Il s'était approché d'elle, par-derrière, il avait posé ses mains sur ses hanches. Elle détestait quand il parlait ainsi. Elle se défit de son étreinte. Il replaça aussitôt ses mains, avec plus de délicatesse, et cette fois elle les toléra.

— Laisse-la respirer un peu…

Kevin ne la ménagea pas. La dernière précipitation avait laissé neuf ou dix pouces de neige dans le sentier de la crique, peut-être un peu moins là où le couvert forestier était plus dense. Alice s'entendait souffler comme un buffle, mais son cœur fort comme un cœur de cheval tenait bon.

Le garçon se retourna.

— Ça va ?

— Et toi, *shit face* ?

Kevin accéléra légèrement sa foulée et Alice dut pousser la machine à fond pour ne pas se laisser distancer. Leurs raquettes projetaient de grandes gerbes de neige dans les airs.

— Te gêne pas pour le dire, si tu veux qu'on s'arrête !

Il savait pertinemment qu'elle n'en ferait rien. Elle irait au bout de ses forces.

— Il faut que je te parle, Kevin.

— Plus tard.

— Arrête, Kevin, il faut vraiment que je te parle!

Kevin ressentit quelque chose de particulier dans sa voix. Il s'arrêta et se tourna vers elle pour l'attendre. Il la trouva jolie avec son bonnet et ses joues rouges. Il n'aurait pas su dire pourquoi, mais depuis quelque temps ses yeux étaient plus éclatants et son teint plus frais. Rendue à sa hauteur, elle le projeta par terre d'un coup d'épaule et poursuivit sa route. Kevin s'affala dans la neige folle alors que l'adolescente fuyait aussi vite que ses muscles endoloris et ses poumons brûlants le lui permettaient. Kevin eut quelque peine à se relever mais aussitôt sur ses pieds, il partit à sa suite. À ce rythme, elle ne tiendrait pas longtemps, il ne voyait donc pas l'utilité de pousser la machine. Dans l'excitation du jeu, il en vint à se demander ce qu'il en résulterait s'il la plaquait au sol. Il avait envie de sentir son corps sous le sien, mais oserait-il?

— J'arrive, Alice!

À bout de forces, elle décida qu'il valait mieux se laisser tomber d'elle-même. Kevin plongea à ses côtés, profitant de l'occasion pour enfouir sa tête chaude dans la poudreuse. Il se tourna ensuite vers elle, le visage couvert de neige, en espérant que l'effet soit aussi comique qu'il l'avait anticipé. À son grand soulagement, Alice pouffa de rire, mais bien vite elle consulta son moniteur cardiaque. Il y avait une heure qu'ils avaient quitté le ranch. La montre, reliée sans fil à la ceinture thoracique qu'elle portait, affichait cent trente-sept comme pouls moyen. Elle avait brûlé six cent vingt-trois calories.

Puis vint le jour où Alice ne se présenta pas à l'école. Dès que Laurie engagea sa voiture dans le stationnement et qu'elle aperçut le directeur du *Charter School Board* qui l'attendait, elle sut que ce qu'elle redoutait depuis quelque temps venait de se produire. D'un regard elle intima à Kevin l'ordre de faire monter les autres élèves en classe puis elle s'approcha de son superviseur.

— Bonjour, monsieur.

— Laurie, si vous avez des problèmes, vous savez que vous pouvez m'en parler.

Elle balaya le paysage du regard alors que son cœur se serrait. Madame Hubbard avait officiellement déposé une plainte, prétendant que l'institutrice utilisait sa fille à des fins politiques.

— Quoi!?

— Je sais, Laurie… Elle prétend aussi que vous fréquentez sa fille à l'extérieur des classes. Que vous l'avez même amenée chez le médecin sans le consentement de ses parents.

Quel mal pouvait-il y avoir à prendre soin d'un enfant si ses propres parents ne s'en occupaient pas? Elle l'avait déjà fait pour d'autres; c'est elle qui avait mis au jour la pneumonie de Tim Radcliffe, l'hiver précédent, le sauvant probablement de la mort.

— Je n'ai fait que mon devoir.

— De toute façon, tout ça est terminé.

— Qu'est-ce que vous voulez dire?

— Les Hubbard ont retiré Alice de votre classe. Elle commence au *Idaho Falls High School* ce matin même.

L'homme la regarda avec une affection sincère. Il savait comment l'intransigeance d'un parent pouvait annuler des mois d'effort ou carrément venir à bout d'un professeur ou d'un programme.

— J'imagine la frustration que vous devez ressentir...

— Non, je ne crois pas.

— Laurie, votre école est magnifique, votre travail est exemplaire, ne gâchez pas tout, s'il vous plaît.

L'homme tourna les talons et se dirigea vers sa voiture. La neige craquait sous ses bottes. L'air était si sec.

— Ne vous inquiétez pas pour la plainte, je m'en occupe. Mais je ne pourrai pas toujours contourner le règlement, Laurie.

Quand Laurie entra dans la classe, le silence se fit rapidement. Ses élèves purent-ils lire sur son visage l'ampleur de sa fracture? Ils avaient ouvert les bras pour accueillir Alice, ils avaient participé activement à sa cure, ils avaient fait parler d'eux dans les journaux et à la télévision, auraient-ils comme Laurie l'impression d'être dépossédés, voire amputés d'une partie d'eux-mêmes? Ils récitèrent le serment au drapeau puis Laurie prit la parole. Elle décrivit la situation, puis elle les invita à prier pour Alice. La prière étant interdite à l'école, il y eut bien quelques regards perplexes, mais rien qu'un œil rassurant ne pût neutraliser. Le geste était si naturel pour la majorité d'entre eux que bien vite les mains se joignirent, les yeux se fermèrent et les marmonnements envahirent la pièce.

À l'heure du lunch, Laurie descendit au secrétariat mettre la main sur le numéro du service de la protection des enfants du *Idaho Department of Health and Welfare*.

— Mon nom est Laurie Rivers, je suis enseignante.

— Qu'est-ce qu'on peut faire pour vous, madame Rivers ?

— J'ai de bonnes raisons de croire qu'une de mes élèves est victime d'abus.

Elle accueillit Mark sur le pas de la porte en l'obligeant à la prendre dans ses bras. Il était impératif qu'elle soit serrée, aimée, maintenant, tout de suite. Il fallait que quelque chose se produise, qu'une explosion ait lieu de manière à court-circuiter la tension qui survoltait son esprit.

— Je te sers l'apéro ? dit-elle.

— Oui, je veux bien.

Elle laissa de côté le vin blanc et remplit deux verres d'une bonne quantité de bourbon. Ils se saluèrent et burent.

— Qu'est-ce qui se passe ? Qu'est-ce que tu as ?

— Rien. Je suis un peu stressée.

L'alcool et la chaleur de Mark opérant, elle commença à sentir le sang pomper dans son entrejambe. Elle le sentait cogner contre les parois de ses organes, résonner dans ses centres nerveux. Le courage ne venait pas, mais les images, si. Des images qu'elle trouvait excitantes et belles, mais qui auraient sûrement choqué Mark. À ses côtés, afficher son désir avec la même puissance qu'il se manifestait intérieurement avait fini par lui sembler contre nature. Elle alla remplir son verre une seconde fois, ce que Mark trouva inhabituel. Du fond de la cuisine, elle l'observa un moment à son insu. Elle l'aimait et le méprisait à la fois. Il devait bien s'être écoulé trois mois depuis leurs derniers ébats. Elle avait besoin de tendresse et d'affection depuis si longtemps qu'elle basculait maintenant du côté de la colère, de la hargne. Les symptômes de son désir battant se déclaraient comme ceux de la violence. Ils en étaient peut-être imprégnés, d'ailleurs. Elle avait envie de le forcer à faire des choses terribles. Elle lui aurait imposé son corps, fesses, seins et sexe, sans ménagement. Mais au lieu de faire ces gestes crus et durs et violents mais épouvantablement excitants, elle alla au calendrier feindre de calculer les semaines.

— Ah! dit-elle.

Mark la regarda avec une certaine appréhension.

— Si mes calculs sont bons, je devrais ovuler aujourd'hui ou demain.

Il voulait cet enfant et donc ils firent l'amour. Les choses furent faites consciencieusement, chacun eut droit à son plaisir, mais Laurie ne trouva pas ce qu'elle recherchait : sentir qu'elle était sa chose, sa possession. Pas de marques persistantes sur la peau de ses cuisses, pas de doigts imprégnés dans la chair de ses fesses, de cheveux tirés, de mordillements sauvages. Après avoir été manuellement menée à l'orgasme, elle fut pénétrée longuement par un membre qui n'atteignit sa parfaite rigidité que quelques secondes avant de lâcher sa semence. Le tout fut exécuté dans un silence presque total, que Laurie ponctua ici et là d'un oui discret et d'un faible «c'est bon, chéri» afin de ne pas apeurer son mari.

Mark roula sur le côté. Ils reposèrent côte à côte en maquillant leur désappointement mutuel de caresses complaisantes et de soupirs fabriqués.

— Je crois que Matt est homosexuel.

Elle se tourna aussitôt pour saisir la réaction de son mari. Il éclata de rire.

— Qu'est-ce que tu racontes, Laurie?

Elle ne pouvait s'expliquer clairement, il s'agissait d'un pressentiment plus que d'une certitude.

— Matt, homosexuel. C'est ridicule.

— Saurais-tu des choses que j'ignore?

— Oui, justement.

Cela fit sourire Laurie. L'orgasme dispensant tout de même ses bénéfices, elle était d'humeur plus joueuse, maintenant, elle avait envie de parler et de rire.

— Lesquelles? Je veux savoir. Quand il est venu ici alors que j'étais au Nebraska?

— Oui, exactement.

— Il t'a parlé de certaines filles?

— Oui, exactement.

— Mais qui? Je veux savoir, raconte!

Il roula jusqu'à elle et la chatouilla avec beaucoup plus de conviction qu'il ne lui avait fait l'amour. Laurie se convulsa et dans son esprit elle rêva de voir sa lourdeur et sa gravité secouées, se disperser comme des particules de poussière dans la lumière.

Le lendemain, au moment même où une représentante du *Department of Health and Welfare* sortait Alice de son cours d'histoire afin de la questionner sur sa relation avec ses parents, deux agents du même service frappaient chez les Hubbard.

Son père lui tendit la lettre et Kevin fut aussitôt convaincu qu'elle provenait d'Alice. Il attaqua calmement l'escalier afin de ne pas laisser voir son excitation, mais dès qu'il retourna l'enveloppe pour vérifier l'adresse de l'expéditeur, son émoi se dissipa. La calligraphie fine et ciselée était celle de Maggie Fisher.

Cher Kevin, je t'écris de ma chambre à BYU⁴. J'espère que tu vas bien. Comme tu le sais, j'ai décidé de laisser tomber la psychologie pour les soins infirmiers. Je suis contente. Je suis bien ici, ma chambre est petite mais très confortable. Je n'ai pas besoin de grand-chose. Il faut dire que je rencontre beaucoup de gens très intéressants et dynamiques. Plusieurs d'entre eux pratiquent davantage que moi et cela m'entraîne et m'emporte. Je prie beaucoup pour ma famille et aussi pour toi. J'espère que comme la mienne, ta foi se solidifiera avec les années. Je trouve qu'il est difficile de croire et de vieillir en même temps. Tout était plus simple avant que je devienne adulte (presque adulte, j'exagère!), mais je vois l'avenir comme un défi. Il vient un temps où il faut arrêter de penser à soi. J'attends avec impatience que le chef de l'Église désigne l'endroit où j'irai accomplir ma mission. J'aimerais beaucoup que ce soit l'Europe, la France ou l'Angleterre si possible, mais qui peut prévoir ce que l'inspiration divine lui dictera? Quoi qu'il en soit, j'ai vraiment hâte de commencer à parler aux étrangers de la seule véritable Église de Dieu sur terre, de Joseph Smith et du Livre de Mormon.

---

4. Brigham Young University. De toutes les institutions postsecondaires fondées par l'Église de Jésus-Christ des Saints des Derniers Jours, seuls BYU-Idaho et BYU-Provo, en Utah, dépendent encore de l'Église et non de l'État.

Imagine si on atterrissait à Londres tous les deux!
J'aimerais bien. En attendant, je te retrouverai peut-être
ici l'an prochain. Je sais à quel point ton cœur est grand
et ta soif de vérité intarissable. Tu te rapprocheras énormé-
ment de Dieu si comme moi tu fréquentes des gens qui
croient plus fort.
Ma mère m'a parlé de cette Alice qui vient de Houston.
Tu ne croyais tout de même pas que quelque chose allait
se passer dans notre village sans que ma mère ne s'en
aperçoive! Je crois que c'est formidable ce que vous avez
fait pour elle et je suis convaincu que c'est une fille extra,
même si elle n'est pas membre de notre Église. Tu sais à
quel point notre religion est tolérante et ouverte, et de
quelle manière on nous enseigne à accueillir les autres avec
leurs différences, mais je crois que pour toi, qui as parfois
la foi bancale (si tu me passes l'expression, hi! hi!), le fait
de fréquenter une protestante…

Kevin interrompit brusquement sa lecture. Ce qu'il
soupçonnait depuis un moment déjà venait de se muer
en certitude : il était amoureux d'Alice.

Qui avait déposé cette plainte? Deborah soupçonnait tantôt Laurie, tantôt les Perowski, tantôt sa propre
fille. Elle commença à fouiller dans les affaires personnelles d'Alice en quête de quelque indice. Elle accusa sa
fille de consommer de la drogue, ce qui donna sérieusement envie à Alice de tenter l'expérience. Et comme si
le fait de l'avoir changé d'école n'était pas suffisant, elle
lui interdit de revoir Kevin. Alors forcément, le jour de

la parution dans le *Idaho Statesman* de la critique de
disque qu'elle avait écrite, le jour où elle connut sa plus
grande joie, Alice garda l'événement pour elle.

Les cuisses écartées sur la petite chaise, le visage
pointant vers le miroir de la coiffeuse, le dos bien droit
et la poitrine relevée par un soutien-gorge que lui avait
offert Laurie, Alice chercha un maquillage qui en dirait
long sur ses nouvelles intentions. Ses traits juvéniles,
ses yeux grands ouverts, sa peau au grain tendu et serré,
avec juste ce qu'il fallait de rouge à lèvres, de mascara
et de fard à joues, pas trop bien sûr, quittaient la sensualité adolescente pour tendre vers la maturité sexuelle.
Et plus la main s'activait, plus l'innocence disparaissait, plus la candeur s'estompait. Voilà, maintenant
on pourrait la regarder comme on regardait les autres
femmes.

Plus rien de son ancienne garde-robe ne lui seyait.
Elle avait réussi à convaincre son père de l'emmener à
Idaho Falls faire quelques achats. Un jean, trois t-shirts
et un chemisier plutôt cintré, qui l'aidait à définir sa
taille encore trop peu marquée. Elle redoutait que
chaque morceau passât à l'inspection une fois à la
maison. Quoi de plus neutre qu'un chemisier blanc ? À
moins de forcer sur le nombre de boutons détachés…

Elle accentua le rouge, décida de mettre un peu de
couleur sur les paupières et la pute commença à apparaître. Il y avait une tension, un lieu à découvrir entre
la poupée et la putain, entre le visage lustré et innocent du jouet et, quelques traits de crayon plus tard,
quelques coups de pinceau plus loin, celui de la femme
qu'on veut soumettre à ses désirs.

Cet espace entre les deux restait flou. Dans ce flou, on pouvait retrouver plusieurs choses : l'envie de faire tourner les têtes, l'envie d'être admirée, le plaisir de lire une certaine souffrance sur le visage des hommes, une agitation mêlant désir et frustration. Du moins elle l'espérait. Elle aurait pu en être inquiète, mais les regards qu'elle surprenait de plus en plus confirmaient que les temps avaient changé.

Ce flou était chargé d'amour, en fait, l'envie d'en avoir, d'en être l'objet, mais le chemin emprunté – d'où le flou – était celui du sexe. La chair exposée, la peau mise en scène appelait l'amour de partout. Le sexe n'était pas l'aboutissement, il était l'outil de recherche et tout cela restait merveilleusement – et fort heureusement – flou.

Alice composa le numéro de Kevin.

N'y avait-il pas une envie de salir, voire de détruire, la coiffeuse rose et tout ce qui meublait sa chambre depuis tant d'années ? N'y avait-il pas également l'envie de rayer de sa mémoire les regards tendres et complaisants de sa mère ? La haine grondait certainement derrière tout ça et c'est sous sa gouverne qu'elle força encore un peu sur le fard à joues et celui à paupières.

— Kevin, j'ai besoin de toi. Peux-tu prendre le pick-up de ton père ?

Maintenant, il allait falloir sortir sans être vue.

Kevin se doucha avant d'enfiler des vêtements propres. Son père lui tendit les clés sans poser de question ; il avait confiance en son fils. Tout en laissant tourner le moteur, Kevin attendit Alice à une centaine de pieds du chemin privé des Hubbard, comme elle le lui avait indiqué. Ses cheveux, encore mouillés, prenaient en glace dans l'habitacle frigorifié. Il faisait très froid, moins quatre Fahrenheit, peut-être moins dix-neuf ou moins vingt avec le *Irwin Wind*. Exactement à l'heure qu'elle avait spécifiée, il la vit apparaître dans l'allée. Et dès lors, son cœur se mit à battre plus fort. Elle monta vite à bord et se laissa tomber sur la banquette en soupirant. Elle était heureuse, elle souriait. Elle alluma le plafonnier et se tourna vers le garçon afin de lui demander ce qu'il pensait de son maquillage. Kevin n'avait jamais vu, *de visu*, une fille de son âge maquillée en femme. Il trouva le spectacle à la fois grossier et envoûtant. Depuis qu'il avait compris qu'il l'aimait, il avait résolu de mettre à l'épreuve chaque chose qu'elle dirait et chaque geste qu'elle ferait afin de vérifier la puissance et la validité de son amour pour elle. À vrai dire, le maquillage mettait une distance entre eux et, par la même occasion, il lui permettait de nourrir des pensées qu'il ne souhaitait pas éprouver tout de suite. Il crut un instant que son propre regard était teinté de la même lueur que celui de Maggie Fisher au moment où elle avait soulevé son chandail jusqu'au-dessus de ses seins. Ce regard hantait Kevin. Il le troublait et l'excitait. Il savait que ce regard venait d'ailleurs, d'une part sauvage de l'Homme. Le regard de Satan, aurait prétendu son révérend. Kevin ne croyait pas en l'Adversaire même s'il n'en avait jamais parlé à l'école du dimanche. Il savait quel passage on lui citerait :

« Et voici, il (Satan) en flatte d'autres et leur dit qu'il n'y a point d'enfer et il leur dit : je ne suis pas un diable car il n'y en a point[5]. » Voyait-il plus clair que les autres ou était-il simplement manipulé par le Défaiseur ?

— Alors ?

— Joli, très joli.

Ce fut suffisant, elle attacha sa ceinture et regarda droit devant.

— Tu peux nous trouver un endroit pour boire quelque chose ? N'importe où, pourvu qu'il y ait du monde…

Elle ne tombait pas particulièrement dans sa spécialité. Il ne connaissait rien, à part le *Angus Cafe* et le *Saddlesore Saloon*, bien entendu.

— Non, pas à Swan Valley, je ne veux pas qu'on me connaisse.

Driggs, point de chute de *Grand Targhee*, le centre de ski. Kevin imaginait facilement l'agitation qui pouvait y régner un vendredi soir. Ils montèrent lentement la sinueuse trente et un jusqu'à *Pine Creek Pass* puis Kevin lâcha l'accélérateur et laissa glisser le pick-up dans *Teton Valley*, de l'autre côté des montagnes. À Victor, il prit à gauche, Driggs les attendait une dizaine de milles plus à l'ouest. Alice semblait nerveuse. Elle parlait de tout et de rien, enchaînant des sujets sans liens apparents ; sa nouvelle école, son article dans le *Idaho Statesman*, les persécutions de sa mère, et comme elle s'ennuyait de Laurie et de lui, Kevin ! Le volant bien en main, les yeux rivés sur la route, le sourire aux lèvres, le jeune

---

5. Livre de Mormon, II Nephi 28 : 22

homme baignait avec ravissement dans l'effervescence, la fluidité et l'imprévisibilité d'Alice.

Driggs grouillait effectivement d'animation. Histoire de se faire une idée des lieux, ils parcoururent *Main Street* sur toute sa longueur, quelque trois quarts de mille, puis ils revinrent sur leurs pas. À l'intersection de *Little Avenue,* Kevin prit la gauche, attiré par les lumières multicolores et le nombre de véhicules garés. Quand ils poussèrent la porte du *O'Rourkes Fine Food & Beer,* beaucoup de regards se tournèrent vers eux. Pendant un moment, Alice crut que sa vie ne serait plus jamais la même. Et pourtant, bien vite, les gens retournèrent à leurs discussions. Ils prirent une table et quand la serveuse vint les rejoindre avec des menus plastifiés, Alice se contenta de commander une boisson diète tandis que Kevin optait pour un hamburger.

— Cochon, dit-elle en ricanant. Tu n'as pas mangé?

— Oui, c'est mon dessert.

Ils rirent et tout de suite les yeux d'Alice se promenèrent dans l'assemblée afin de voir si on la regardait rire. Deux hommes, effectivement, avaient tourné la tête dans sa direction. Dès qu'elle sentit leurs yeux sur elle, elle revint à Kevin.

— Est-ce que tu t'es ennuyé de moi?

Elle inclina la tête, comme en le priant de quelque chose. Il sut tout de suite que la prière ne s'adressait pas à lui, qu'elle n'avait pour but que de montrer qu'elle en avait les aptitudes. Alice déclinait ses codes et ses signes, toute la syntaxe du corps en travail de séduction. Elle profitait de la présence de Kevin, de leur interaction, pour mettre en scène des parties de son anatomie, des attitudes de tendresse ou de compassion. Dans les gestes qu'elle faisait, coulait une part de plus en plus grande de féminité et de sensualité. La main dans la chevelure, le dos redressé pour mettre de l'avant la poitrine en offrande derrière les pans du chemisier, les lèvres qui enserrent la paille avec préciosité. Alice Hubbard étrennait son nouveau corps à l'exemple d'un nouveau vêtement, et plus les minutes passaient, plus elle se sentait à l'aise dans le tissu, plus elle appréciait la silhouette que la coupe lui dessinait.

Le va-et-vient était infernal dans la salle des toilettes et Kevin n'eut pas le loisir de réfléchir comme il l'aurait voulu. Vendredi soir, la semaine terminée, les hommes avaient l'esprit à la fête. Ils se bousculaient devant les lavabos, s'insultaient, rivalisaient de drôleries qui, à l'esprit de Kevin, manquaient toutes de finesse et de subtilité. Aux lavabos, encadré de deux taupins, la glace lui renvoya l'image d'un enfant. Ses mains tremblaient sous l'eau chaude. Il pria Dieu de lui donner le courage de sortir Alice d'ici.

À son retour, il trouva la table déserte. Aussitôt, il balaya l'endroit du regard. Un certain soulagement s'empara de lui quand il aperçut Alice, au bar, en conversation avec deux jeunes Mexicains. Mais l'apaisement fut bien vite suivi d'un sentiment de frustration qu'il n'essaya pas de définir.

Les têtes se tournaient souvent vers Alice et les deux hommes. C'était déjà particulier que les Mexicains viennent boire dans cet endroit alors qu'habituellement ils se confinaient au Guadalajara dans *Main Street*, voilà que cette adolescente leur adressait la parole. Quand

Alice revint vers Kevin, elle mit subtilement certains autres de ses attraits en scène : le roulement des hanches, le bras qui balance lascivement le long du corps. Le regard gardant le cap, elle fit mine d'ignorer les têtes qui se tournaient sur son passage.

— On rentre? dit-il quand elle atteignit la table.

Kevin tenait le volant fermement. Le froid lui mordait les doigts. Il ne penserait à mettre le chauffage que beaucoup plus tard. De temps à autre, une voiture ou un autre pick-up arrivait en sens inverse et Kevin, ramassé contre la ligne blanche, ne lâchait pas de terrain. Parfois, même, il forçait la note et empiétait davantage sur l'autre voie malgré les appels de phares et les coups de semonce. Elle s'était servie de lui.

Dans les montagnes qui séparaient Victor de Swan Valley, le jeu s'avéra beaucoup plus dangereux. Kevin n'entrevoyait pas les conséquences possiblement mortelles de son geste, il voulait simplement arrêter d'être celui qui cédait. Il avait honte de s'être amouraché d'Alice, il se sentait faible et méprisable. Elle le possédait. Elle était descendue sur lui et elle s'était installée dans sa tête, il regardait maintenant par ses yeux à elle, entendait par ses oreilles, découvrait le monde au fur et à mesure qu'il lui apparaissait par la description qu'en faisait sa voix douce ou jugeuse. Voilà qu'il en avait assez de l'aimer, déjà, du sentiment contraignant de cet attachement. Il s'agissait donc toujours du même amour ; ses parents, Dieu, Alice, tous exigeaient de lui sacrifice et abnégation.

« On rentre ? » avait-il dit quand elle avait rejoint la table.

— Déjà ? Pourquoi tu veux rentrer si tôt ?

— Faut que je sois à la maison avant dix heures trente. Toi ?

Elle avait haussé les épaules en essayant de repérer la serveuse. Elle était sortie à l'insu de ses parents, elle devrait rentrer à leur insu aussi.

— Il n'est que neuf heures quarante-cinq…

Quand la serveuse avait tourné la tête dans sa direction, Alice lui avait signifié d'apporter deux autres colas.

— Qui c'est, les Mexicains ?

— Celui assis à gauche fait des travaux chez nous.

— Il parle anglais ?

— Il se débrouille.

— Il a quel âge ?

— Pourquoi tu me demandes ça ? Je ne sais pas, vingt ans peut-être.

Sans qu'il sache trop pourquoi, la réponse d'Alice avait fait monter d'un cran la frustration de Kevin.

— J'ai une autre question.

— Tu m'énerves avec tes questions ! Est-ce qu'on ne pourrait pas avoir un sujet de conversation normal ? J'ai l'impression d'être assise avec ma mère.

— Pourquoi tu voulais venir ici ?

— Quoi ? On n'est pas bien ?

Kevin attendait la vraie réponse, il voyait clair dans l'entreprise de dissimulation d'Alice.

— Est-ce que tu me promets de garder le secret?

Il avait hoché la tête, agacé, fatigué.

— J'ai l'intention de coucher avec un homme.

L'air parfaitement épanoui, elle avait attendu sa réaction en le fixant droit dans les yeux. Elle aurait souhaité qu'il partage son enthousiasme, elle aurait voulu qu'il soit une fille, en fait, qu'il fasse les yeux ronds, qu'il mette sa main sur sa bouche ou qu'il éclate d'un rire à la fois outré et surexcité.

— Pourquoi tu veux faire ça?

Elle avait ri, ce qui l'avait fait se rembrunir davantage. C'était le mormon qui avait parlé, bien sûr. Chaque fois qu'une situation nouvelle commandait une réaction immédiate, toutes ces années d'enseignement et d'étude des Écritures prenaient le pas.

La serveuse était arrivée sur ces entrefaites et Kevin avait réglé la totalité de l'addition.

— Merci, mais tu n'étais pas obligé, j'aurais pu t'inviter. Après tout, tu as eu la gentillesse de m'amener jusqu'ici. Je suis vraiment contente de te voir, avait-elle senti le besoin d'ajouter.

Il savait qu'elle était sincère, mais il n'avait plus envie de lui accorder quoi que ce soit. Il s'était levé et il avait attrapé son manteau.

— Qu'est-ce que tu fais?

— Je m'en vais.

— Pourquoi?

— Tu viens ou tu ne viens pas?

Il s'en était voulu de ne pas avoir la maturité de réagir autrement. Il savait aussi qu'il n'obtiendrait rien en la provoquant.

— Je reste.

— Parfait, bonne soirée.

— *Asshole*, avait-elle murmuré à son passage.

Il avait fait mine de ne pas l'entendre. Et alors qu'il franchissait la distance qui le séparait de la sortie, la seule chose qu'il imaginait, c'était Alice, armée du corps qu'il avait contribué à façonner, qui traversait la salle pour aller retrouver les Mexicains.

Quand sa colère commença à s'émousser, elle fit place à l'inquiétude. Était-il prudent de laisser Alice là-bas toute seule? Il consulta l'horloge du véhicule, elle affichait dix heures pile. Il existait une façon sûre de savoir comment agir. Il fallait tout simplement demander d'être guidé. Poser une question claire et non biaisée, sans jugement prédéterminé, et accepter, peu importait la réponse, d'agir en concordance avec les instructions du Seigneur en sachant qu'il ne demandait pas à ses enfants des choses qui n'étaient pas adaptées à leur capacité de compréhension et d'action.

Les phares d'une voiture balayèrent son visage. Kevin ne se concentrait plus sur la route, c'était une autre partie de son esprit qui s'acquittait de cette tâche. Lui cherchait la voie d'accès au Père. Quand cet état était atteint, l'adolescent se sentait près de Dieu, dans un endroit fait sur mesure pour lui, qui le contenait parfaitement, l'enserrait délicatement à l'exemple de deux grandes mains jointes en coupe, et de ce lieu il pouvait formuler n'importe quelle question et être assuré d'obtenir une réponse dans les instants, les heures ou les jours qui suivaient. Il fallait aussi être prêt à respecter le rythme du Tout-Puissant, ce qui s'avérait parfois aussi difficile que d'accepter son verdict.

« Très saint père, je m'inquiète pour Alice, dictez-moi, dans toute votre bonté, la procédure à suivre pour qu'il ne lui arrive rien. » Les lumières de Swan Valley scintillèrent plus bas. Il était dix heures seize, il fallait agir vite ; une fois à la maison, il ne pourrait plus ressortir. Devait-il rebrousser chemin et essayer de convaincre Alice de rentrer avec lui ? Pourquoi voulait-elle faire l'amour avec un homme ? Probablement parce qu'elle avait envie de se sentir aimée. Il pourrait l'aimer, lui, il pourrait la tenir dans ses bras, il pourrait caresser son visage et ses cheveux. Il pourrait lui faire l'amour aussi si elle le désirait tant. Soudain, il craignit que Dieu ne soit influencé dans sa décision par le fait qu'Alice n'était pas une sainte des derniers jours. Dieu, donc, dans sa bonté et son ouverture, pourrait indiquer à Kevin qu'il fallait aller retrouver Alice et la ramener en sécurité chez elle, mais il ne pourrait certainement pas passer par-dessus ses propres enseignements et l'encourager à déclarer son amour à une évangéliste, encore moins à enfreindre la loi de chasteté.

Que ferait son père dans une telle situation ? Assurément, il laisserait la jeune fille vivre ce qu'elle désirait, mais dans sa grande bonté, il resterait aux alentours, discrètement, au cas où les choses tourneraient mal. Évidemment, tout ça en considérant le fait qu'Alice n'était pas mormone. Autrement, il aurait été de son devoir de croyant de la convaincre de rentrer à la maison. Et si elle avait refusé, il aurait dû prévenir ses parents même si cette dernière éventualité ne l'aurait certainement pas enchanté. Voilà, ses parents… À l'intersection de la vingt-six, il s'arrêta dans le stationnement du *Phillips 66* pour réfléchir. Devait-il prévenir les parents d'Alice? Elle ne le lui pardonnerait jamais. Il sortit du pick-up et marcha jusqu'à la cabine téléphonique. Le froid mordait ses doigts et sa gorge. Il décrocha le combiné et se recueillit quelques instants encore. Cette fois, ce fut l'image de Laurie qui lui apparut. Il glissa une pièce dans l'appareil.

Kevin remonta dans le pick-up, tourna vers l'ouest sur la vingt-six. Peu après, la maison des Hubbard se profila au haut de la colline, sur sa droite. De tout son cœur, il espéra que l'absence d'Alice n'ait pas encore été remarquée. Puis il devina la *Snake* qui disparaissait dans le canyon alors qu'il traversait le pont. Et les quelques lumières de Swan Valley, apparemment sans histoire, s'évanouirent lentement dans le rétroviseur.

Pendant les deux ou trois milles qui suivirent, Kevin, rassuré, se calma. Et quand son esprit placide fut bien aligné avec son corps dans ce projectile ventru qui traversait la plaine crispée de froid, il fut tenté encore une fois de ne plus jamais s'arrêter. Il en rêva sans se douter que, déjà, les attaches qui le liaient à l'enclave étaient impossibles à délier.

Dans la chambre à coucher, Laurie quitta son pyjama pour enfiler un sous-vêtement long, un jean et un chandail de laine polaire. Ses pensées étaient déjà chez *O'Rourkes*. Les enseignements qu'elle avait prodigués à Alice lui seraient-ils utiles? L'appel de Kevin ne l'avait pas étonnée. Malgré la volonté de Deborah

Hubbard, Dieu prenait soin de maintenir le lien existant entre Alice et elle.

Elle téléphona aux Perowski afin de les prévenir qu'elle avait réquisitionné l'aide de Kevin puis elle enfila son manteau et attendit, dans la fenêtre du salon, qu'apparaissent les feux du pick-up. Le froid intense la préoccupa; par un temps pareil, un accident ou un bris mécanique dans un endroit isolé pouvait coûter la vie. La charpente de la maison se tordait doucement sous l'assaut du vent. Dans la fibre ligneuse, des clous fragilisés par le froid éclataient sporadiquement. *Une maison morte*, pensa Laurie. Une maison où tout est simulacre; simulacre de vie de couple, simulacre d'amour, simulacre de désir. Sa poitrine se serra et elle se mit à espérer très fort l'apparition des phares.

Ils montèrent du fin fond de l'obscurité et quelques réminiscences de sa propre adolescence soufflèrent aussitôt sur elle. Elle marcha vers le véhicule, comme elle l'avait fait à des dizaines d'occasions alors que Jason, son jeune amoureux, venait la chercher une fois que le sommeil avait emporté Angela, sa mère.

Dans ce pick-up, avec Kevin, il fut facile pour elle de continuer de retourner en arrière et de s'imaginer en compagnie du père de son premier enfant. Elle n'arrivait pas à évoquer de scènes précises, tout au plus quelques images tel son profil alors qu'il souriait; sa façon de tenir sa cigarette entre son majeur et son pouce; les trapèzes saillant sous la peau de ses épaules et de son cou, l'été, quand il conduisait torse nu. Mais elle avait conservé la sensation physique de ces moments. Tout son corps les avait gardés en mémoire. La présence de Kevin, qu'elle ne regardait pas pour mieux maintenir le flou quant à son identité, suffisait pour répandre en son sein une chaleur bienfaitrice. La vraie Laurie était là, comme un feu qui couve, elle rougeoyait comme la braise qui se réveille sous l'action du vent. Il fallait s'accroupir et souffler, et souffler encore, il fallait qu'éclate une première flamme et que tout s'embrase de nouveau. Elle posa sa main sur la cuisse du garçon. Le jeune homme tourna la tête vers elle, d'abord embarrassé, mais comme l'institutrice paraissait calme et sereine, le regard vissé sur la route, Kevin décida que le geste ne signifiait rien. Il se détendit et la chaleur de l'institutrice traversa le gant de laine puis le pantalon de denim et s'épancha lentement sur la cuisse de l'élève.

Alice travaillait dur pour renouveler la conversation tout en mettant en évidence son intelligence et son originalité. Il fallait que chaque mot, chaque idée la rende encore plus désirable. Mais la mise en œuvre d'un tel spectacle était si énergivore que bien vite ses réserves s'épuisèrent. Le regard d'Alejandro, maintenant seul avec elle, fuyait de plus en plus souvent au-dessus de son épaule et chaque fois, un flash de panique éblouissait l'adolescente.

Elle se l'était rendu beau, tendre et attachant. Il avait désormais toutes les qualités du monde. En moins de quarante minutes, il était devenu l'amant parfait. Elle se répétait, avec toute l'abstraction dont elle était capable, qu'il fallait que ce soit lui. Mais alors qu'elle avait passé les derniers mois obsédée par les corps et leur chimie, qu'elle s'était caressée en projetant dans son esprit des images spécifiques, voilà qu'il n'y avait plus ni organes, ni salive, ni sécrétions, seulement ce flou chaud et prenant. Elle avait envie d'être menée quelque part, plus à fond dans l'expérience de ce flou, et le seul chemin qu'elle imaginait passait par l'offrande.

Son esprit pratique, cependant, ne cessa pas de fonctionner pour autant. Alors qu'elle feignait de s'intéresser à tout ce qu'il disait, qu'elle le flattait, qu'elle risquait même un contact – à peine un effleurement – à la suite d'un éclat de rire par exemple, au second plan elle passait en revue les endroits qui pourraient les accueillir. Alejandro vivant avec son oncle et sa tante, il était hors de question d'aller chez lui. La chambre d'hôtel, trop coûteuse, ne figurait pas davantage parmi les options. Ne restait plus que son vieux tacot. Il fallait agir vite. Faire abstraction de ses parents qui l'attendaient peut-être, rongés par l'inquiétude, devenait de plus en plus difficile. Elle tournait et retournait la phrase dans sa tête. Comment demander au Mexicain de la raccompagner? Puis la perspective qu'il refuse la fit se tendre davantage. Elle ramassa son manteau en le regardant dans les yeux.

— On y va?

Lui laisser le loisir de répondre n'aurait pu que lui fournir l'occasion de se dérober. Alice prit donc le chemin de la porte sans plus attendre. Elle marcha, bien droite, bien digne, sans se retourner, en priant le ciel qu'il lui emboîte le pas. Une fois dehors, elle ne se retourna pas davantage. Quelques secondes tombèrent et l'humiliation de devoir téléphoner à sa mère se fit de plus en plus tangible. Jusqu'à ce que le son ambiant du resto-bar vienne de nouveau jusqu'à elle avec plus de puissance et de clarté. Quelqu'un ouvrait la porte. Quand elle se retourna, il indiqua la direction de sa voiture. Elle lui sourit de toutes ses forces.

La plateforme du véhicule bougea à peine quand ils s'assirent à l'intérieur. Les banquettes étaient dures comme du bois et le froid traversa vêtements et sous-vêtements en un rien de temps. Le moteur démarra de peine et de misère et bien vite les fenêtres s'embuèrent. Que faire en attendant que l'engin se réchauffe? Il fallait parler, trouver quelque chose à dire, encore, mais Alice était paralysée. Elle aurait voulu être désinvolte et enjouée, mais la fatigue et le froid l'attaquant de toute part, son corps se ramassait sur lui-même.

— Tu dois t'ennuyer du Mexique!

Il rit de toutes ses forces, ce qui lui donna l'air encore plus jeune. Un garçon perdu dans son manteau bon marché. Il s'était probablement laissé duper par l'épaisseur du vêtement et par l'ambitieux col de fourrure qui bordait le capuchon.

— Tu viens me reconduire à la maison?

Ils prendraient la route et d'ici une vingtaine de minutes, l'habitacle serait réchauffé, ils pourraient détacher leur manteau, parler moins fort et il resterait suffisamment de temps pour construire une autre phrase, celle-là dévoilant à quel point elle était prête à s'offrir. *Arrête-toi ici, s'il te plaît...* Une fois le véhicule stoppé, elle n'aurait qu'à se pencher vers lui, elle voyait le geste dans sa tête, tendre les lèvres, aller à la rencontre de son visage, de sa bouche, de sa peau cuivrée. Glisser une main sur le devant de son pantalon et espérer de tout son cœur y trouver la marque rassurante de son désir. Au-delà de cette image, rien ne lui apparaissait. Les gestes crus qui suivraient, malhabiles, restreints par l'exiguïté de l'espace, se refusaient à son esprit.

Alice crut reconnaître le pick-up des Perowski qui remontait vers elle. Le véhicule s'arrêta à une centaine de pieds. Quelqu'un occupait le siège du passager. Alice gratta la fenêtre pour mieux y voir. Elle reconnut Laurie quand cette dernière courut jusqu'à l'entrée du *O'Rourkes*. Kevin, au volant, attendait. Il paraissait inquiet. Il se penchait souvent vers l'avant pour essayer de voir ce qui se passait à l'intérieur de l'établissement. Alice le trouva méprisable, faible et peureux. Elle allait prier Alejandro de quitter les lieux quand Laurie ressortit, suivie de peu par trois hommes. L'institutrice les somma de retourner à l'intérieur, mais ils jetaient déjà un œil à la ronde. Le cœur de Kevin cognait dans sa poitrine ; comment avait-il pu laisser Alice toute seule ici ? La jalousie et la honte se saisirent de lui. Mais n'éprouvait-il pas aussi une sorte de soulagement ? Tout pourrait se terminer là, il pourrait rentrer chez lui, libéré, et son âme, écartelée entre les volontés de son Église et les pulsions de son cœur, pourrait enfin goûter un brin de quiétude. La porte d'une vieille Chevrolet s'ouvrit de l'autre côté de la rue.

Alice savait qu'Alejandro courait un risque s'il était découvert en sa compagnie. Des étrangers avaient été malmenés pour moins que cela. Aussitôt que les hommes se mirent en marche, elle eut le réflexe de sortir du véhicule. Elle supplia Alejandro de partir au plus vite, mais les types étaient déjà là. Ils firent signe au Mexicain de sortir de la voiture. Alice essaya bien de protester, mais un des hommes l'attira à l'écart. Un second ouvrit la porte du côté conducteur et extirpa l'étranger du tacot.

— Fais quelque chose ! cria Alice à l'intention de Laurie.

Le Mexicain n'arrivait pas à comprendre ce qu'ils disaient. Affolé, il protestait, répétant en espagnol qu'il n'avait rien fait, qu'il allait seulement reconduire la jeune fille chez elle. Le gaillard qui l'avait sorti du véhicule le gifla une première fois. Mû par la peur, Alejandro fit un bond arrière, mais aussitôt le troisième individu le repoussa vers son agresseur. Laurie comprit que si elle n'intervenait pas maintenant, c'en était fait de lui. Elle s'avança en exhortant tout le monde à se calmer. Celui qui avait frappé l'immigrant lui rétorqua de ne pas s'en mêler ; ces affaires-là se réglaient entre hommes.

— C'est un ami, cria Laurie en ouvrant les bras de manière à protéger Alejandro. Il travaille chez nous.

Les hommes n'avaient pas envie de lâcher prise. L'arrivée du Mexicain redonnait du souffle à cette soirée.

— Il allait raccompagner ma fille, dit-elle en regardant Alice. C'est moi qui le lui avais demandé. Je ne croyais pas pouvoir passer la prendre.

Sans perdre une seconde, elle ouvrit la portière et le fit monter dans le véhicule resté en marche.

— À lundi, dit-elle.

Il la remercia d'un regard où perçait encore l'affolement et s'éloigna sans prendre la peine de saluer Alice.

— Est-ce que vous avez couché ensemble ? demanda Laurie.

— Non.

L'institutrice retrouva le sourire. Même si leur hostilité était palpable, elle était bien, sur la banquette avant, entre Kevin et Alice. Elle changea vite de sujet de discussion ; il n'y avait pas lieu de s'épancher sur la question. Pour l'instant, ils étaient au chaud, en sécurité, les uns contre les autres ; *Kevin Perowski, Laurie Rivers, Alice Hubbard.* L'institutrice pouvait entendre leur respiration, elle pouvait ressentir les émotions qu'ils éprouvaient. Elle savait de quoi ils étaient constitués, ce qu'ils désiraient, ce dont ils avaient besoin.

Ils distinguèrent la voiture du shérif avant d'avoir atteint le haut de la côte. Tous trois gardèrent le silence jusqu'à ce que le pick-up s'immobilise près de la maison.

— Je vais descendre avec toi, dit Laurie.

— Non, non, partez tout de suite avant qu'ils vous voient, je vais me débrouiller.

— Si elle te touche, je veux que tu me préviennes !

Kevin tourna la tête, surpris. Mais Alice avait déjà ouvert la porte, elle posait déjà le pied dans la neige. Elle marcha dans la lumière des phares, sans se retourner.

— Allons-y, dit Laurie en posant une main trem-
blotante sur le bras du garçon.

Kevin reconduisit Laurie puis il rentra à la maison.
Il déposa les clés du véhicule de son père sur la table de
cuisine et monta à sa chambre. Fatigué et fourbu, il se
laissa tomber sur son lit. Ses parents discutaient dans
la pièce voisine. Les chuchotements le rassurèrent. Il y
avait longtemps qu'il ne s'était pas senti si bien chez lui,
dans la paix et la quiétude du foyer, avec ses parents
aimants. Des larmes montèrent, il les sentit sourdre
sous ses yeux. Chagrin d'amour, jalousie, doutes, les
émotions étaient enchevêtrées et irrépressibles. Tant
de choses nouvelles : le désir, l'envie de posséder et de
contrôler une femme, le sentiment de nouer de plus en
plus d'entraves et, avec lui, l'envie de prendre la fuite,
de quitter la vallée et le joug des rapports humains. Mais
il ne se sentait jamais plus près de Dieu que quand il
avait envie de s'en détourner définitivement.

Après le départ du shérif, Alice se réfugia dans sa
chambre. Elle avait passé un moment pénible, assise
au salon, à subir l'interrogatoire. Pour punir sa mère de
l'avoir retirée de la classe de Laurie, elle raconta qu'une
bande d'amis de sa nouvelle école était passée la prendre
pour l'amener boire à Idaho Falls. Deborah Hubbard
hochait la tête en regardant sa fille. L'histoire ne la
touchait guère, mais en revanche son allure la scanda-
lisait. Le policier, ayant l'habitude de ce genre d'intervention, qui n'était rien comparée à la lourde tâche dont
il devait s'acquitter quand une de ces voitures remplie
de jeunes gens quittait la route, y alla de quelques mises
en garde de circonstance. Quant à Adrian Hubbard, il

tenta bien d'alléger le drame et, d'une certaine manière, d'excuser le comportement de sa femme avec quelques mots d'esprit, mais rien n'y fit. Sa mère monta les marches. Le plancher de la chambre d'Alice vibrait quand la grosse femme empruntait l'escalier. D'en bas, son père l'implora de laisser l'adolescente tranquille, elle avait eu sa leçon. Mais Madame Hubbard lui ordonna de se mêler de ses affaires. Quand la porte de sa chambre s'ouvrit, Alice tourna la tête. La dureté qui se lisait sur le visage de sa mère força son propre aplomb.

— Démaquille-toi.

Alice ramassa un *Rolling Stone Magazine* par terre et s'installa sur son lit comme si de rien n'était.

— Tu vas te démaquiller tout de suite!

La jeune fille feuilleta la revue. Elle ne prêtait pas attention à ce qu'elle lisait, elle parcourait seulement des yeux les photos et les titres, sans en déchiffrer le sens. Madame Hubbard approcha du lit, la saisit fermement par le bras et la força à se lever. Pour rien au monde Alice n'aurait avoué qu'elle avait mal. Elle fut traînée jusqu'à la vanité et forcée de s'asseoir.

— Enlève ça tout de suite, sinon c'est moi qui vais le faire.

Alice ne broncha pas. Toutes ces livres perdues, cette conversion intérieure, la confiance, l'assurance, se sentir belle parfois, l'envie nouvelle d'accomplir des choses, de transformer, de créer, elle n'avait pas fait tout ce chemin pour reculer maintenant.

La respiration de sa mère n'avait jamais été aussi sifflante, ses joues aussi rouges. Elle empoigna quelques kleenex, versa un peu de lait démaquillant dessus puis les tendit à sa fille. Comme Alice ne bougeait toujours pas, Deborah Hubbard lui coinça la tête avec son bras gauche et, avec sa main libre, elle entreprit de lui nettoyer le visage. Plus l'enfant résistait, plus la mère resserrait son étau tout en augmentant la pression des mouchoirs de papier sur la peau délicate. Alice se débattit un moment, mais la ceinture de douleur l'obligea à se calmer. Dans la glace, elle observa les couleurs se répandre et se mélanger sur son visage. Voilà, pensat-elle, voilà le vrai visage de l'amour de ma mère.

— Je ne laisserai pas ma fille s'arranger comme une putain!

Bien vite, des larmes se mêlèrent au lait démaquillant. Quand elle n'en put plus, Alice appela son père de toutes forces.

— Tais-toi!

Peu après, Adrian fit irruption dans la pièce. Dépassé par le comportement de sa femme, il tenta de la calmer sans grande conviction.

— Papa, fais quelque chose! bafouilla Alice.

— Lâche-la, Deborah, s'il te plaît.

Mais Madame Hubbard ne l'entendit pas ainsi. Elle savait ce qui était bon pour sa fille et ce n'était certainement pas de se balader devant les hommes déguisée en pute.

— Papa, s'il te plaît!

— Deborah, voyons…

Quand il posa la main sur le bras de sa femme, elle le repoussa si violemment qu'il heurta le coin du lit, perdit l'équilibre et tomba à la renverse sur le sol. Sa tête percuta le plancher de bois franc et pendant quelques secondes il afficha un air hébété. Madame Hubbard fut également étonnée par le bruit sourd. Elle fixa son mari avec une certaine curiosité. Quel signal ses yeux envoyaient-ils ? Souffrait-il ? Arriverait-il à se relever ? Allait-il perdre conscience ? Alice profita de la confusion pour s'enfuir. Elle quitta la chambre à la course, descendit l'escalier, traversa le salon en moins de deux et se précipita à l'extérieur. Elle savait qu'elle pourrait courir un certain temps, même malgré ce froid. Après quelques minutes d'effort, le sang circulerait partout, il irriguerait jusqu'aux lobes des oreilles, et la chaleur irradiant de sa peau la protégerait de la morsure du froid. Seulement, il ne fallait pas commettre l'erreur de trop en faire ; s'arrêter avant d'être à destination pouvait signifier des engelures ou l'hypothermie.

Un silence profond régnait dans la vallée. Seuls résonnaient la respiration d'Alice et le crissement de ses souliers sur l'asphalte gelé à fendre. Elle serra les poings de manière à protéger le bout de ses doigts. Ses yeux pleuraient et son nez picotait. Les premières minutes furent pénibles puis, tranquillement, la combustion intense distribua ses premiers bienfaits. Souvent, elle tourna la tête afin de s'assurer que ses parents ne la pourchassaient pas. La rue était déserte, pas une seule voiture en vue, pas un seul mouvement. Le froid confinait les hommes comme les bêtes à leur abri, et Alice, telle une ligne droite, tirait son trait dans la vallée. *Je suis un cheval.* Ses pieds claquaient sur le sol et un puissant jet de condensation jaillissait de sa bouche à chaque expiration. Elle avait du ressort, elle avait des possibilités infinies, elle n'était pas invincible mais douée d'une redoutable résilience. Elle prit à gauche sur *Rainey Creek Road.* Bientôt elle aperçut les lumières de la maison des Perowski au bout du rang. Elle y serait en moins de trois minutes. Elle fut presque déçue.

Un bruit sourd tira Kevin du sommeil. Sur le coup, il crut avoir rêvé. Il s'était endormi de travers sur le lit, tout habillé. Il se redressa tant bien que mal quand un second ploc! se fit entendre. Il approcha de la fenêtre et vit Alice en bas qui façonnait une nouvelle boule de neige tout en sautant sur place à la manière d'un boxeur. Le cœur battant la chamade, il descendit lui ouvrir. Son visage était pétrifié, de ses yeux et de son nez coulait un liquide clair et pourtant il la trouva belle. Elle se jeta dans ses bras, l'enveloppant d'un nuage de froidure aux relents presque métalliques. Il la serra contre lui en frottant son dos pudiquement. Elle grelotta d'abord et bien vite elle se mit à sangloter.

Les lumières fermées, ils s'installèrent dans la fenêtre. Collés l'un contre l'autre, alors qu'Alice surveillait les signes de la présence d'une voiture, Kevin savourait chaque seconde comme si elles étaient volées à quelque destin étranger au sien. Ils eurent le même mouvement de recul quand les phares firent leur apparition. Rapidement, la silhouette du Ford Explorer de Monsieur Hubbard se détacha de l'obscurité.

— Qu'est-ce qu'on fait? chuchota-t-elle.

— Rien, ne bouge pas.

La sonnerie du téléphone retentit. Alice et Kevin se regardèrent, pétrifiés. Après le troisième coup, le silence retomba sur la maison. Immobiles, retenant leur souffle, les jeunes tendirent l'oreille. Un marmonnement grave vint jusqu'à eux. Monsieur Perowski avait pris l'appel, mais impossible de distinguer ce qui se disait. Ils n'eurent pas la présence d'esprit de se cacher, de sorte que si Monsieur Perowski s'était donné la peine de sortir de la chambre, il aurait trouvé les deux adolescents au milieu du salon, en pleine obscurité. Mais comme sa demeure respirait le calme, comme il ne distinguait pas de lueur sous la porte de sa chambre, comme il aimait bien Alice et beaucoup moins sa mère, il répondit aux Hubbard qu'il y avait fort longtemps, fâcheusement, que la jeune fille n'était pas passée à la maison.

Kevin incita Alice à s'asseoir par terre. Puis ils attendirent, se regardant, riant en silence, que les Perowski se rendorment. Enfin, ils montèrent à la chambre sans faire de bruit. Il n'était pas question de parler à voix haute. Ils s'installèrent donc sur le lit et Alice plaqua sa bouche contre l'oreille de Kevin afin de lui raconter le déroulement des événements. Kevin ferma les yeux et laissa la voix chaude se déverser en lui, emplir sa tête et son cœur. Alice ramena le couvre-lit sur elle et se pelotonna contre le jeune homme. Il la laissa faire.

Quand Kevin se réveilla, Monsieur Perowski était déjà parti récupérer une pièce de tracteur à Idaho Falls. Il alla voir sa mère, confinée à sa chambre, pour s'assurer qu'elle ne manquait de rien. Elle était allongée dans son lit, la bible à la main. Elle signifia au jeune homme de s'approcher et elle caressa son visage avec une certaine marque d'inquiétude. Elle connaissait son fils, elle savait que de nouveaux troubles l'assaillaient.

Elle n'aurait pas su les nommer, mais elle surprenait dans son œil des regards qu'elle n'y trouvait pas à peine quelques mois plus tôt.

Kevin revint à la chambre. Il ferma la porte derrière lui et s'approcha du lit. Alice était couchée sur le côté, un poing ramené sous le menton. Son visage portait encore les marques de l'affrontement de la veille. Une moue d'enfant boudeur mettait en évidence ses lèvres charnues et roses, et bientôt Kevin ne vit plus qu'elles. Ses lèvres, et ses longs cils déposés sur ses joues comme les ailes d'un oiseau sur la neige. Dans son désir pour cette bouche grondait son envie d'embrasser le monde entier. Ces lèvres constituaient le portail conduisant au-delà des montagnes de Swan Valley, vers l'impiété, vers la vie adulte. Et la tentation fut si forte qu'il n'arriva pas à se contenir, il avança la tête. Alice Hubbard ouvrit les oreilles avant les yeux, comme à son habitude, et ce qu'elle entendit était probablement le cœur de Kevin Perowski.

Ils firent l'amour maladroitement. Ils tentèrent des choses qui ne livrèrent pas leurs promesses. Ils furent tour à tour beaux et ridicules. Le plaisir ne montra pas son véritable visage non plus et pourtant ils se rappelleraient chaque seconde jusqu'à la fin de leurs jours. Pour Kevin, la porte d'un monde obscur l'éloignant davantage de Dieu venait de s'entrouvrir. Le triangle noir et la chair étrange et désordonnée qui se révélait au-dessous évoquaient le monde animal, instinctif et bestial. Il les avait vues, les vulves rougeoyantes, gorgées de sang, des juments en chaleur, et maintenant, la juxtaposition de cet espace sauvage, cru et odorant avec le reste du corps doux et lisse d'Alice le troublait au plus profond. Il y avait là une quête qui durerait de nombreuses années. Une réconciliation qui prendrait peut-être toute une vie, entre l'image qu'il avait des femmes, douceur, tendresse, et ce qu'elles dissimulaient d'animal et de farouche à la jonction de leurs cuisses dorées et de leur ventre chaud.

Alice, quant à elle, liquida d'emblée tout le romantisme de la situation. Pour elle, ce n'était guère plus qu'une bonne chose de faite. Une façon comme une autre de briser la glace, de neutraliser la peur. Elle pourrait maintenant s'intéresser au plaisir sérieusement, faire vibrer ce corps, le faire frémir et résonner. Il faudrait aussi connaître d'autres hommes, d'autres mains, d'autres bouches. Si Kevin convenait parfaitement pour une première fois, et peut-être une seconde, qui sait, Alice considéra que ses gestes étaient trop chargés de tendresse et de bonté pour s'acquitter avec brio de ce qu'elle cherchait à explorer – l'aspect disons plus athlétique de la chose.

La jeune fille rentra chez elle au pas de course. Cette fois, elle fut saluée par quelques conducteurs qui ne s'étonnèrent pas outre mesure de croiser la petite Hubbard, comme on se plaisait maintenant à la surnommer, même s'ils la trouvèrent vêtue bien légèrement pour la saison. Aux klaxons qui fusaient quand on voulait la saluer, saluer son mérite aussi, et pourquoi pas flirter un brin, Alice avait l'habitude de répliquer d'un signe de la main discret. Mais aujourd'hui, il y avait ce sourire particulier sur ses lèvres qui disait : je sais quelque chose que vous ne savez pas.

Une fois à la maison, elle traversa la cuisine en lançant à sa mère épuisée qu'elle était désolée pour hier. Dans sa chambre, elle ramassa du linge propre puis elle fila sous la douche. Elle se lava avec minutie, revoyant dans sa tête des images, éprouvant de nouveau certaines sensations. Elle était fière. Ses mains glissaient sur ses cuisses ou sur ses fesses comme après une séance d'entraînement, lorsque, satisfaite de l'effort fourni, elle aimait toucher, palper ses muscles gonflés par le travail. La preuve de sa détermination. Puis son esprit dévia subitement. Écrire un nouvel article de journal. Bien vite, un sujet s'imposa : que restait-il du cri nihiliste des années quatre-vingt-dix mis à part Pearl Jam ou Hole ? Où trouvait-on les petits-enfants de Nirvana ? Elle réfléchissait à la question quand sa mère fit irruption dans la salle de bain.

Au moment où Mark se pencha sur elle pour juger de son état, Laurie se réveilla en sursaut. Sa bouche était pâteuse, sa tête bourdonnait et une douleur lancinante coulait dans l'épaule sur laquelle elle avait dormi. Elle se redressa sur le divan, frotta son visage en s'enquérant de l'heure. Mark l'en informa gentiment en s'écartant du nuage aigre qui entourait sa femme.

Sous la douche, le mal la reprit. Elle n'avait pas voulu boire, elle avait voulu faire cesser la boucle. Elle avait voulu casser la spirale et il avait fallu plus d'une bouteille de vin pour y arriver. Et voilà que Deborah Hubbard réapparaissait, voilà qu'Angela Rivers refaisait surface, voilà que son premier enfant lui était arraché, que son second s'échappait d'elle en gouttes rouge clair et en caillots sombres, voilà qu'on la privait de la présence d'Alice. Heureusement, il y avait Kevin. Sa seule pensée avait le don de la réconforter. Elle irait le chercher tantôt pour travailler à la préparation de son S.A.T.[6]. Une odeur d'œufs frits, de bacon et de galets de pomme de terre surgelés l'attendait à la sortie de la salle de bain. Il faudrait passer par là pour se faire pardonner, mais surtout pour ne pas montrer à quel point son estomac était mal en point. Elle entra dans la cuisine en séchant ses cheveux, comme si de rien n'était. La bouteille de vin qu'elle avait vidée était cachée sous l'évier, derrière la panoplie de produits à nettoyer. Si Mark avait l'idée de vérifier ce qu'elle avait bu, il ne trouverait, en ouvrant le frigo, que la seconde, qu'elle avait tout juste entamée.

Il lui présenta son plat et tandis que dans son estomac un trait d'acide giclait, Laurie lâcha un soupir de contentement.

— Oh! Merci, chéri.

Elle joua dans l'assiette un moment et aussitôt qu'il eut quitté la pièce, elle fourra le lard fumé, les œufs et la moitié de la galette dans une serviette de table. «Je dois passer à la banque, j'ai des trucs à finaliser», lança-t-il de la chambre.

---

6. *Standard Aptitude Test*; principal examen d'admission des collèges et des universités américaines.

— O.K.

— Il y a une nouvelle procédure informatique que je n'arrive pas à intégrer. Je vais profiter de la fermeture pour m'entraîner.

Et quelques instants plus tard, la douche se mit à couler. Il n'allait jamais à la banque le samedi, mais Laurie, trop occupée à chercher un moyen d'obtenir des nouvelles d'Alice, ne posa pas de question. Elle était plutôt soulagée d'avoir la maison à elle. Sa nervosité et son anxiété, exacerbées par la fatigue et le *hang-over*, allaient être difficiles à dissimuler plus longtemps. Elle le regarda se préparer, à la fois sombre et serein, elle souffrit son accolade, particulièrement douce et longue, et tout ça lui donna à croire que quelque chose allait lui arriver, qu'il n'allait plus jamais revenir et qu'il le sentait. La porte se referma et aussitôt qu'il eut disparu, Laurie l'oublia.

Le temps s'était radouci et le soleil, encore bas dans le ciel en voûte, entrait dans le bâtiment jusqu'à venir lécher les bottes de Kevin. La brise passait, bousculant les effluves de foin, d'excréments de chevaux et d'huile à moteur et tour à tour ces odeurs passaient sous le nez du fils qui tendait les outils au père, penché sur le tracteur.

Les deux hommes étaient d'excellente humeur. Madame Perowski avait une bonne journée, le temps était à couper le souffle, et, mais ça le père l'ignorait, Kevin avait perdu sa virginité. Par moments, bien sûr,

telle une mouche à bétail, la culpabilité venait bour-
donner dans son oreille. S'il arrivait raisonnablement
bien à chasser le sentiment désagréable, en serait-il de
même au moment de la prière ? Au souvenir de la bouche de la jeune fille, de la sensation de ses seins sous sa main, le cœur gonflé de Kevin
cognait dans sa poitrine l'espace de quelques secondes ;
ce bonheur était condamné à rester caché, il faudrait
garder secret ce merveilleux moment. Et voilà que sous
le ravissement brûlait avec intensité, jusqu'à la douleur
par instants, l'envie de retrouver Alice, de se serrer
contre elle et de sentir à nouveau ses parfums.

Tout ce que son père disait le faisait glousser. Kevin
observait sa nuque, quand l'autre se penchait, là où les
cheveux courts rencontraient en petites pointes, comme
un pinceau trempé, la peau hâlée, et un puissant sentiment d'amour menait à l'envie contenue d'éclater
d'un rire sonore. Il aurait aimé l'entendre se réver-
bérer dans la grange, il aurait aimé voir si sa voix maintenant, si son rire maintenant étaient devenus ceux d'un
homme.

— Je vais préparer le lunch.

Au bout du compte, ce fut le paternel qui s'esclaffa.

— Quoi ? Pourquoi tu ris ? C'est toujours toi qui
t'en occupes !

Monsieur Perowski releva la tête. Il y avait beaucoup
de choses dans son regard. De l'amour, de la fierté et peut-
être même un soupçon de reconnaissance. Qu'est-ce qui
le rendait si sensible à cet instant précis ? Voyait-il son
enfant vieillir ? Avec tout ce qui arrivait aux Hubbard,
était-il soulagé d'avoir un fils bon et obéissant ? Avait-il

de plus en plus peur de le perdre? Le voyait-il avec ses fourmis dans les jambes? Sentait-il que Swan Valley ne lui suffirait pas? D'autres jeunes hommes s'engageaient. Il en mourait même quelques-uns chaque jour. Le soir, le pays tout entier priait pour ses fils et ses filles puis s'endormait en retenant son souffle. Un voisin, un neveu, le nouveau chéri de sa fille, le plus vieil ami de son fils et parfois la loterie voulait que ce soit le vôtre.

La Ford de Laurie apparut devant la grange. Les Perowski lâchèrent outils et pièces graisseuses pour aller à sa rencontre.

— Laurie! Comment allez-vous?

Monsieur Perowski la trouva changée. Son aspect général sentait le négligé et ses yeux, plus creux qu'à l'ordinaire, brillaient d'une lueur étrange, à la fois vibrante et vitreuse.

— Je voulais dire quelques mots à Kevin…

— Est-ce qu'ils ont retrouvé la petite Alice?

Le père et le fils virent le visage de l'institutrice blanchir au fur et à mesure qu'il se vidait de son sang. Monsieur Perowski sentit l'urgence de clarifier la situation; certaines formulations étaient à éviter depuis ce qu'on appelait ici l'accident de Nelly McCann.

— Ses parents ont téléphoné hier soir, ils la cherchaient.

Loin d'arranger les choses, la nouvelle injecta un souffle d'affolement dans le regard de Laurie.

— J'ai parlé à Alice ce matin, intervint Kevin, tout va bien.

— Alors tout est parfait, dit l'homme en reprenant le chemin de la grange. Offre du café à la dame, Kev!

L'élève et l'enseignante marchèrent en direction de la maison, ce qui donna le temps à Kevin de raconter le déroulement de la nuit précédente.

— Elle a dormi ici ? dans ta chambre ? chuchota Laurie.

Kevin hocha la tête, dans un mélange de gêne et de gravité.

— Tes parents ne sont pas au courant ?

Et comme Laurie savait mieux que quiconque qu'une chose en cache souvent une autre, elle posa la question décisive :

— Est-ce que vous avez…

Kevin aimait tellement Laurie, il avait une telle confiance en elle et surtout il brûlait si fort de crier au monde entier qu'Alice Hubbard et lui s'aimaient, qu'après réflexion il acquiesça, tout simplement. Laurie prit la main du garçon et la serra. Les événements suivaient leur cours. Puis l'expression déjà fatiguée de Laurie se tordit davantage et Kevin vit son visage tomber, ses traits se creuser.

— Avez-vous utilisé un moyen de contraception ?

Les vingt-trois jours qui suivirent furent interminables. Impossible pour quiconque d'entrer en contact avec Alice. Quand Kevin téléphonait, la boîte vocale se chargeait de lui répondre et jamais ses messages n'avaient de suite. Les trois fois où il osa se présenter à la maison, Madame Hubbard se planta solidement dans l'ouverture de la porte pour déclarer qu'Alice était soit absente, soit occupée. Finalement, ils essayèrent de la joindre à l'école pour découvrir qu'elle ne s'y présentait plus.

Malgré mars qui s'achevait, l'hiver tenait bon. En classe, les enfants étaient distraits et turbulents. Kevin, préoccupé par le sort d'Alice et l'issue de leurs relations, tentait sans grand résultat de travailler à la préparation de son S.A.T. *Health for Fun* fut abandonné au Nebraska. Le courriel qu'expédia Sandy Cocker, long et triste, relatait jusqu'aux détails la désintégration du programme. Selon elle, les attentes étaient irréalistes dans les conditions actuelles. Pour réussir avec éclat comme Laurie et les siens l'avaient fait, il fallait investir un temps dont un enseignant moyen, dans une classe traditionnelle, ne disposait pas.

L'excitation qui avait gagné Swan Valley finit de se dissoudre avec la disparition d'Alice. La gaieté et l'enjouement qu'on avait pu surprendre au *Angus Cafe* ou au *Fox's Corner'd Inn*, alors que les journaux et la télévision tournaient leur œil vers la région, s'évanouirent ; les projets que la mairie avait voulu mettre de l'avant pour profiter de l'impulsion publicitaire retombèrent dans l'oubli. Enfin, la vallée s'endormit de nouveau, pelotonnée dans sa couronne de montagnes, espérant l'arrivée du printemps.

Laurie avait été enflammée, incandescente, voilà qu'elle avait l'impression de n'être plus qu'une pièce d'artifice tombée au milieu de la baignoire. Éteinte. Mark fit irruption dans la salle de bain avec le verre de vin qu'elle lui avait demandé. Il s'appuya sur le cadre de la porte pour lui dire quelque chose qu'elle n'écouta pas. Elle rajusta sa position afin que sa poitrine flotte joliment dans la mousse. Son mari prononça encore d'autres mots alors qu'elle sortait une cuisse. Puis elle posa le pied sur le rebord de la baignoire, mais Mark ne regarda pas davantage la cheville que la cuisse, pas plus qu'il n'avait regardé les seins. Il la fixait dans les yeux, au mieux, sinon son regard ricochait un peu partout dans la pièce. Elle songea à de la lâcheté, à de la peur et à du mensonge. Voilà la forme indistincte qui se révélait, pensa-t-elle, voilà ce que cachait son mari bien rasé, aux cheveux joliment coupés et aux vêtements propres et bien pressés. Elle eut envie de le punir, de l'humilier.

— J'ai envie de toi, dit-elle froidement.

Il lui sourit comme s'il s'agissait d'une blague. Puis il ajouta quelque chose d'incohérent, qu'elle n'écouta pas davantage, avant de quitter la pièce.

La culpabilité qu'elle ressentait par rapport à lui ne trouvait pas d'écho. Il restait aimable et poli avec elle, ne faisait aucune allusion désobligeante à son comportement changeant, à ses humeurs irrégulières ni au nuage lourd et gris qui ne la quittait plus. En règle générale, Laurie appréciait son indifférence, mais il lui arrivait, à certains moments de lucidité, de regretter qu'il ne la juge pas davantage. Cela ne l'aurait-il pas poussée à remettre de l'ordre dans sa vie? Peut-être croyait-il que tout cela n'était que passager. Ils étaient combien, de toute manière, à boire quelques verres pour réussir à s'endormir, combien à se médicamenter à l'alcool?

Le deuxième dimanche suivant la disparition d'Alice, Laurie se réveilla au milieu de la matinée dans une maison parfaitement vide. Mark avait laissé une note expliquant qu'il était à la banque. Laurie se lava et fit du café. La journée était splendide et elle se surprit à chantonner en rangeant la vaisselle. Elle eut l'idée d'aller surprendre son mari à la banque pour l'amener luncher à Tetonia.

Vers midi, elle gara sa voiture à côté de la Subaru de Mark, juste devant l'établissement. Les mains en coupe sur la surface vitrée de la porte d'entrée, elle regarda à l'intérieur. Elle pouvait voir, tout au fond, la porte de son bureau. Après avoir cogné à plusieurs reprises sans succès, elle décida de contourner la bâtisse pour frapper directement à sa fenêtre. Une fois derrière, cependant, c'est aux stores verticaux que se heurta son regard. Un bruit étrange, une sorte de râle sourd, attira son attention. Elle retint son souffle et tendit l'oreille, mais la célébration de onze heures venant de se terminer, l'activité reprenait peu à peu dans le village. De nouveaux halètements vinrent pourtant jusqu'à elle. Son cœur s'emballa aussitôt. Elle bougea sans bruit, longeant la grande fenêtre pour trouver un interstice par lequel jeter un œil. À l'autre extrémité, une latte de vinyle avait été retenue par le manche d'un coupe-papier oublié sur le rebord de la fenêtre. Laurie se pencha, approcha la tête et aperçut Matt, flambant nu, assis sur le bureau de son mari, la tête envoyée vers l'arrière, les muscles saillant de ses bras et de ses pectoraux, gonflés d'oxygène. Mark, lui, était assis dans son fauteuil pivotant, penché vers l'avant, la tête entre les jambes de l'entraîneur.

Laurie voyait l'avant de la voiture avaler les bandes de neige que les rafales avaient imprimées sur la route durant la nuit. Elle entendait le son ambiant se modifier à leur passage. Les pneus sur le bitume contracté par le froid, avec leur tonalité presque métallique puis plus rien pendant une fraction de seconde, le vide sourd et ouaté au passage de la surface enneigée. Elle avait l'impression qu'elle arriverait à quelque chose de cette manière, c'était irraisonné, mais en accélérant, elle pourrait se mettre à la tâche plus vite, rejoindre Kevin plus vite, et ensemble ils pourraient retrouver Alice plus vite. Pourquoi, pour faire quoi? Elle n'en savait rien, mais il fallait que quelque chose se produise! Sa vision s'apparentait à un tunnel. À la périphérie, les choses s'estompaient, se brouillaient, mais ce qui se trouvait au centre du spectre était d'une clarté époustouflante. Les contrastes, la luminosité, l'image frappait ses rétines avec une netteté absolue. Elle voyait l'endroit et l'envers des choses. Sa vie ne lui était jamais apparue aussi clairement.

Un pick-up immobilisé en travers de la route, à cheval sur la ligne blanche, lui fit lâcher l'accélérateur. Elle reconnut le véhicule du grand-père Radcliffe. Un objet imposant, brun foncé, qu'elle n'arriva pas à reconnaître tout de suite, reposait sur le sol un peu plus loin. Un animal, sûrement, peut-être un ours. Non, il s'agissait d'un élan. Elle immobilisa sa voiture sur l'accotement et posa le pied à terre. La scène était irréelle; le pick-up de travers, l'animal couché sur son flanc, dans ce début d'après-midi parfaitement bleu et silencieux. Les informations l'atteignaient une après l'autre et le scénario se déployait dans son esprit. Elle constata subitement que l'avant du véhicule portait la marque d'un impact. Elle s'engagea en diagonale sur la route. Des éclats de verre et de plastique jonchaient le sol autour du véhicule. Le moteur encore chaud tintait sous l'action du froid. L'animal respirait toujours, son souffle résonnait dans l'air sec par à-coups. Quand il leva brusquement la tête pour la regarder, Laurie sursauta et un picotement se propagea sur la surface de sa langue. Ce n'est qu'à ce moment-là qu'elle aperçut Radcliffe, derrière la bête. Il gisait sur le ventre, la tête tournée sur le côté, la joue contre l'asphalte gelé. Le sang qui s'était écoulé de sa tête, de son visage, qui avait jailli de sa gorge, commençait à se figer sous l'action du froid. Elle regarda de nouveau le véhicule et imagina la trajectoire du corps entre le pare-brise et la chaussée.

Du sang, beaucoup de sang aussi s'épanchait des pattes postérieures de l'animal. Des fragments d'os pointaient à travers la chair en bouillie. L'œil globuleux de la bête suivait Laurie sans relâche. Ses naseaux s'ouvraient large pour laisser passer l'air. Laurie pensa tout de suite à abréger ses souffrances. Elle se dirigea vers le pick-up pour prendre l'arme de Radcliffe. Elle regarda l'homme en passant et s'aperçut qu'il la fixait aussi. Il la suivit du regard, la bouche entrouverte, comme paralysé. Laurie, troublée par la vision, ouvrit la portière, monta à bord, décrocha l'arme de son support et trouva les munitions dans la boîte à gants.

L'œil mobile de Radcliffe l'escorta jusqu'à l'animal. Elle chargea l'arme, approcha l'extrémité du canon de la tête, ferma les yeux et appuya sur la détente. La détonation explosa dans l'air mais disparut bientôt, avalée par les montagnes qui roulaient de part et d'autre de la route. Puis elle approcha de Radcliffe, le canon du fusil pendant au bout de son bras, touchant presque le sol, à quelques pouces du visage ensanglanté. Les yeux de l'homme s'agitèrent. Il essayait de regarder le visage de Laurie, mais elle était trop proche, il ne voyait pas au-delà de ses genoux. Laurie frappa doucement le sol du bout du canon comme pour attirer son attention. Il contempla le tube métallique et ses paupières commencèrent à tressaillir. L'institutrice ne ressentait rien de particulier. Elle pensait à Tim, garçon frêle, monté sur ses jambes fragiles, avec son visage fatigué et ses cheveux fins. Comment s'épanouir à l'ombre du vieux Radcliffe ? Comment arriver au vingt et unième siècle sous la gouverne droitiste, passéiste du patriarche ? Pour le reste, personne ne se formaliserait du départ de l'homme. Pour sa femme, pour sa bru, pour ses fils, l'accablement ne durerait certainement pas. Kevin, l'année précédente, après avoir abattu sa première biche, avait raconté à Laurie qu'au moment de presser la détente, il avait ressenti un froid intense envahir son corps, immédiatement remplacé, une fois le coup parti, par une chaleur palpitante. Laurie avait imaginé le moment où la mire pourchasse l'animal, l'accélération de la conscience et la dilatation du temps, mille détails qui pénètrent le cerveau entre chaque respiration, mille calculs, mille anticipations. Et une nouvelle accélération quand l'index appuie sur la détente. Un tunnel vide entre le chasseur et la proie, et l'animal, au bout, qui tombe à genoux.

L'arrivée d'un poids lourd l'extirpa de sa rêverie.
Elle recula d'un pas. Les yeux de Radcliffe, toujours
ouverts, avaient perdu toute mobilité. Le chauffeur mit
une éternité à arrêter son véhicule, pompant les freins
et sollicitant la compression du moteur. Il bondit de la
cabine encore tressautante et pressa le pas vers Laurie.

— Ça va ?

— Oui.

— Est-ce qu'il est mort ?

— Je crois, oui.

— Avez-vous pris son pouls ?

— Oui.

— Vous avez vu l'accident ?

— Non, je viens juste d'arriver. L'animal était encore
vivant. Je l'ai abattu.

Le shérif arriva une vingtaine de minutes après que
le camionneur eut fait l'appel. Il connaissait la victime.
Il l'avait sorti de différents bars de la région et il avait
même dû passer à la roulotte quelques soirs de beuverie
afin de calmer les esprits qui s'échauffaient. La procédure légale fut mise en branle et le témoignage de Laurie
recueilli avec soin. Personne n'était particulièrement
affecté par le décès du vieux, la bouteille de whisky
trouvée dans le fond du pick-up ne l'aida pas à attirer
la sympathie ; en revanche, la bête, monumentale, faisait
l'envie secrète des membres de l'équipe qui s'adonnaient
à la chasse.

Laurie était assise dans la voiture du shérif quand
Mark arriva sur les lieux. Personne ne l'avait prévenu,
c'était la seule route entre la banque et la maison. Les
ambulanciers étaient en train d'embarquer Radcliffe

et la protection de la faune s'affairait à dégager la route. Mark fut saisi d'une vive inquiétude lorsqu'il reconnut le véhicule de Laurie. Il s'immobilisa derrière la Ford et courut vers le cœur de l'action. La voiture du shérif étant stationnée de l'autre côté de la route, à l'extrémité de la scène, Laurie eut le loisir d'observer la course erratique de son mari. Il l'aimait. Elle le voyait dans sa panique, dans ses mains qui s'agitaient alors qu'il s'adressait à l'employé de la morgue, alors qu'il l'obligeait à ouvrir la fermeture éclair du sac mortuaire afin de s'assurer qu'il ne s'agissait pas de sa femme. Il l'aimait dans la façon dont il tourna les yeux, ensuite, dans la direction que lui indiqua l'employé. Sa direction. Il l'aimait aussi dans le pas pressé qui le conduisit jusqu'à elle. Et quand il ouvrit la portière. Et quand il s'assit à ses côtés afin de la serrer dans ses bras. Et quand ses larmes entrèrent en contact avec sa joue à elle.

— Je sais ce que tu fais avec Matt, glissa-t-elle doucement à son oreille.

Elle se sentit capable de reprendre le volant. Elle roula lentement en observant, dans le rétroviseur, Mark aux commandes de la Subaru. Étrangement, au-delà du chagrin et de la colère, au-delà de l'impression d'avoir été trahie et utilisée, quelque chose dans son cœur trouvait enfin le repos. Un calme, encore relatif bien entendu, succédait à la fébrilité, à l'état de surtension perpétuelle dans laquelle toutes ces années de distorsion entre l'amour qu'il prétendait avoir pour elle et le désir qu'il lui manifestait réellement l'avait plongée. Cette fois, quand elle aperçut la maison, l'angoisse ne se saisit pas d'elle. Les choses avaient surgi au jour et ce qui s'était caché en elle comme un terrible pressentiment n'avait plus lieu de se tapir. Le silence, une fois que le moteur des deux véhicules fut éteint, les enveloppa jusqu'à la porte. L'expression poignante de Mark donnait enfin un visage à la lâcheté qu'elle avait soupçonnée chez lui. Mais voilà que s'ajoutait à cela ce qu'elle n'avait jamais même pressentie, ce que Mark cachait depuis toujours, à coups de complets chics, de manières distinguées, de touches de raffinement et de noblesse de sentiment : la honte.

Elle ne voulut pas entendre d'explications. Il n'y avait rien à dire, ni s'il s'agissait de la première ou de la centième fois, ni s'ils l'avaient fait dans son propre lit alors qu'elle-même souffrait, consumée tout entière par un désir jamais réellement étanché. Elle rassembla quelques vêtements dans un sac de voyage.

— Je ne sais pas ce qui m'a pris, Laurie, c'est Matt qui a commencé. C'est la première fois, je t'assure que ça ne se reproduira plus.

— Mais bien sûr que ça se reproduira, Mark.

Et en son sein, pendant quelques secondes, fleurit une certaine empathie pour cet homme et son entreprise pathétique de dissimulation. Il attrapa sa main et l'implora de ne pas partir. Elle le serra dans ses bras puis elle passa la porte. Elle roula prudemment, pleurant presque parfois, beaucoup moins pour ce qui venait de se produire que pour ce qui l'attendait. Elle se gara, attrapa son sac, traversa la rue déserte, gravit le petit escalier et pénétra chez sa mère sans frapper.

Vingt-trois jours à écouter de la musique. Elle avait l'impression d'avoir compris des choses nouvelles. Un esprit critique s'exerçait comme un corps, sans pitié, avec obsession. Chaque fois qu'elle se surprenait à rêvasser, elle s'obligeait à reprendre du début la pièce. Elle voulait écouter avec toute son attention, ne jamais basculer dans le cours du morceau et se laisser emporter.

Après avoir enchaîné cinquante pompes, voilà qu'elle achevait une troisième série de vingt redressements assis. Sa mère juste au-dessous préparait le lunch. Durant les quelques secondes de silence qui séparaient les plages musicales, elle entendait le cliquettement des casseroles et le tic tic des couverts. Elle pourrait donc sortir de sa chambre quarante-cinq minutes. À quatre heures, elle aurait le droit de descendre regarder *Guiding Light* avec elle. Puis viendrait le souper, vers six heures, après lequel elle devrait regagner sa chambre jusqu'au moment de se mettre au lit.

Les travaux scolaires que sa mère avait réclamés auprès de ses professeurs étaient achevés depuis longtemps. Elle avait même pris de l'avance sur la matière à venir, histoire de tromper l'ennui. Son nouvel article, celui qu'elle destinait à l'édition du week-end de l'*Idaho Statesman*, avait été peaufiné à mort. Elle avait pris contact avec la responsable du cahier *Arts & Leisure*, par courrier électronique, et à la suite de son consentement, elle lui avait fait parvenir une copie du fichier. La réponse tardait à venir. C'était toute sa vie, son avenir qui retenait son souffle. Une réaction positive lui confirmerait qu'elle devait aller de l'avant avec son plan.

Sa mère entrait parfois sans frapper et venait s'allonger sur le lit, désinvolte, pour causer un moment avec sa fille comme si de rien n'était, comme si elle ne la gardait pas prisonnière. Le soir, parfois, son père passait jouer quelques parties de cartes. Malgré sa faiblesse et sa lâcheté, malgré le fait qu'il n'avait pas le courage de la sortir de là, elle l'aimait et il allait lui manquer.

Ces derniers jours, l'air lui semblait vicié et corrompu dans la pièce. Elle avait beau ouvrir toute grande sa fenêtre, la nausée l'assaillait par vague. Ce matin-là justement, sa mère avait vu la porte de sa fille s'ouvrir avec fracas et Alice courir précipitamment jusqu'aux toilettes. Puis des bruits de vomissement étaient venus lui glacer le sang. « Ça y est, s'était-elle dit, je suis en train de la rendre malade. » Elle pleura une partie de la matinée et, au moment de se mettre à table pour le lunch, Deborah annonça à sa fille qu'elle pourrait retourner à l'école le lendemain. Comme par miracle, la réponse du journal entra cet après-midi-là : son article serait publié contre un cachet de cent vingt dollars. Une suite d'exclamations illustrant son enthousiasme commença son message de remerciements tandis qu'un post-scriptum mentionnait qu'elle passerait au journal chercher son chèque en main propre dans les jours qui suivraient.

Alice vida son sac à dos, dissimula ses livres d'école dans sa garde-robe et utilisa l'espace libéré pour entasser quelques vêtements et divers effets personnels. Elle rassembla son livret de banque, ses objets de valeur, montres, bracelets, chaînes et bagues, et tout ce qu'elle avait comme argent liquide. Elle se mit au lit et ne s'endormit que tard dans la nuit. Dans l'obscurité de la pièce, juste au-dessus du lit, dans le champ de ses yeux avides, s'enchevêtraient des tableaux, des scènes de sa vie future.

C'est Monsieur Hubbard qui la réveilla. Il aimait beaucoup s'asseoir sur le bord du lit et la regarder dormir quelques instants. Souvent, sa femme se plantait dans le cadre de la porte pour les observer. Du lit, Adrian Hubbard ne pouvait pas distinguer l'expression du visage de son épouse. Toutes ces années, il s'était imaginé qu'elle y venait parce qu'elle trouvait le tableau touchant. Mais si Deborah Hubbard lui avait ouvert son cœur, il aurait su qu'elle le faisait parce que le premier homme de sa propre vie était venu la réveiller ainsi, chaque matin entre sa onzième et sa quatorzième année de vie, palpant et fouillant sa chair sous sa chemise de nuit, jusqu'à ce qu'elle devienne suffisamment grosse pour qu'il la trouve repoussante.

Monsieur Hubbard embrassa sa fille sur le front sans se douter qu'il s'écoulerait plusieurs années avant qu'il ne la revoie. Dans un élan de bonté, au moment de partir pour l'école, Alice salua sa mère avec chaleur, imaginant le chagrin et la culpabilité qui l'étreindraient dans les jours à venir. Pendant un instant, Madame Hubbard crut en cette bonté et se dit que, somme toute, la punition qu'elle avait infligée à sa fille l'avait peut-être servie.

Les portes de la chapelle s'ouvrirent et la petite communauté se déversa lentement sur le parvis d'asphalte. Le temps était doux et le ciel sans taches ; au grand soulagement de tous, le printemps donnait enfin signe de vie. Les enfants s'éloignèrent en courant, ils avaient pâti tout au long de la cérémonie funèbre et voilà qu'on les libérait. Ils avaient du ressort dans les jambes et les nerfs chauffés à blanc. Laurie avait prié pour le défunt, mais elle n'avait pas demandé pardon. La conviction profonde d'avoir servi d'instrument la déchargeait de toute responsabilité. Devant l'église, n'était-ce pas sa main à elle que Tim tenait, malgré la présence de sa mère et de son père rentré d'Irak en permission spéciale ?

Quand Madame Hubbard sortit de sa voiture, les cheveux sales, les yeux gonflés, les vêtements négligés, le cœur de Laurie fit un bond. Ce qu'elle avait redouté, pressenti même, durant les longues soirées claustrée dans sa chambre, chez sa mère, prenait forme : quelque chose était arrivé à Alice. Elle dirigea Tim vers les Radcliffe et marcha à la rencontre de Deborah. Les deux femmes furent vite rejointes par Kevin.

— Alice a disparu.

L'adolescente avait passé la journée à l'école, mais à l'heure de rentrer à la maison, elle ne s'était pas présentée à l'autobus scolaire. Il y avait trente-six heures qu'on n'avait pas eu de ses nouvelles. Le shérif avait tout de suite adhéré à l'hypothèse d'une fugue. Dans les heures qui suivirent, les recherches furent concentrées sur le groupe d'amis avec qui elle était prétendument sortie sans permission, le mois précédent. La piste s'avéra bien vite stérile et les autorités se retrouvèrent les mains vides. Le *Idaho Department of Health and Welfare* fut alerté de nouveau et les interrogatoires reprirent dans le salon des Hubbard. En désespoir de cause, Deborah, qui détestait Laurie de tout son être, était venue la trouver en espérant que l'institutrice connaissait la cachette de sa fille.

Une certaine joie, que Laurie dissimula plutôt bien, jaillit en elle à l'idée de savoir Alice libre, loin de Swan Valley.

— Vous auriez pu attendre, faire montre d'un peu plus de respect pour les Radcliffe!

Madame Hubbard, qui n'avait plus tous ses moyens, fut déstabilisée par la remarque, et le peu de contenance qui lui restait s'évanouit. Le chagrin rendait la femme pitoyable aux yeux de Laurie. Après tout, elle n'avait que ce qu'elle méritait. Laurie l'imagina couchée sur le ventre, la joue contre l'asphalte, entre la vie et la mort, et elle se demanda, dans le cas où l'occasion se présenterait, si elle la laisserait vivre. Cette idée naquit dans sa tête et se dissipa aussitôt, ni plus grave ni plus ahurissante que n'importe quelle autre. Puis Laurie ressentit le trouble de Kevin. Elle se rapprocha de lui afin de passer son bras sous le sien.

— Nous vous le ferons savoir si elle communique avec nous.

L'institutrice ne laissa pas la chance à Deborah d'en dire davantage, elle tourna les talons, entraînant Kevin avec elle, et ensemble ils rejoignirent la communauté des fidèles.

Kevin monta à bord du pick-up et son père démarra aussitôt, pressé d'enlever la chemise propre et raide qui lui piquait la peau. Le fils ne prononça pas un mot de tout le trajet. Son regard traînait dans les pâturages, s'attardait aux miroitements sur la neige polie par l'action combinée du vent et du soleil. S'agissait-il d'une trahison ? Alice avait-elle oublié les moments qu'ils avaient vécus ensemble ? Faisait-il partie de ses plans ? Le pasteur avait parlé de la vie éternelle, des choses qui subsistent, qui se perpétuent même après la fin qu'on leur connaît. En était-il ainsi de l'amour ? Était-il réaliste d'aimer Alice même après son départ, dans le vide obsédant de son absence ?

Le poids du monde encore ; comment était-il possible de vivre avec toutes ces attaches ? Comment pouvait-on aller librement ? Son père enchaîné à sa mère ; les fidèles enchaînés aux enseignements, aux Écritures et au Tout-Puissant. Fallait-il absolument s'asservir ? Quelle angoisse ces attaches venaient-elles apaiser ? Était-ce pour cette même raison que tout le monde recherchait l'amour ? Et de nouveau, pendant quelques secondes, il ressentit le trouble excitant, la fébrilité électrique de se retrouver dans le vide et l'absence de toute chose entendue. Ce lieu, que Kevin brûlait de connaître, fui d'un bon nombre, et n'était-ce pas là son attrait principal, ce lieu où la multitude des possibilités et la pluralité des éventualités avaient force de loi, existait-il réellement? N'était-ce pas à la rencontre de cela qu'Alice était partie?

Boise, Idaho. L'article d'Alice parut sous un pseudonyme dans *l'Idaho Statesman* du 31 mars. Alice encaissa son premier chèque et remit tout de suite soixante dollars à la veuve qui lui louait une chambre avec pension dans sa modeste résidence.

Dès son arrivée dans la petite capitale, son attention avait été attirée par le *Boise Weekly*, journal indépendant distribué gratuitement. Elle s'installa à une table du *Moxie Java* et téta son café ordinaire en épluchant avec avidité l'hebdomadaire de centre gauche. Une analyse scrupuleuse des ratés de l'administration Bush, des éditoriaux incendiaires sur les politiques environnementales régionales ou sur l'influence des grosses corporations sur la désintégration du tissu social, une couverture exhaustive de la scène culturelle autant populaire qu'underground; elle devait absolument réussir à placer un article dans ce tabloïd. Ramassant son courage, elle se présenta au bureau de la rédaction avec des copies de ses deux articles, celui du *Teens' Turn* et le plus récent, celui de la page *Arts & Leisure* du *Idaho Statesman*.

Amanda Atkinson, éditrice de la section musique, accueillit Alice avec chaleur et enthousiasme. Ils avaient l'habitude de voir affluer les jeunes gens épris de culture parallèle, de justice sociale et d'engagement. Alice, éminemment complexée face à cette femme dans la quarantaine, fouilla scrupuleusement l'œil de son interlocutrice à la recherche de signes de condescendance, de snobisme ou de dérision, sans en trouver une seule trace. La conversation dura près d'une heure. La femme chercha, sans le cacher d'ailleurs, à mettre à l'épreuve les connaissances musicales de la candidate journaliste. Alice répondit aux questions en développant abondamment toutes les idées transversales qui croisaient le chemin de sa réflexion. Le flot de ses propres paroles, les questions de plus en plus pointues de l'éditrice, le plaisir, le simple plaisir de pouvoir discuter musique avec quelqu'un qui s'y connaissait, mais aussi l'effervescence qui régnait dans les bureaux de la rédaction lui montèrent directement à la tête. Quand elle regagna *Broad Street*, elle était ivre d'excitation. Elle resta immobile un moment, ne se souvenant ni du jour ni de l'heure, et cherchant, hagarde, quelle direction il lui fallait prendre pour regagner sa chambre.

L'article auquel elle travailla sans relâche pendant près de trois jours ne fut pas à la hauteur. Amanda Atkinson parcourut le papier avec la débutante en soulignant les faiblesses qui, fort heureusement, étaient davantage d'ordre rédactionnel qu'analytique. Mais elle ne serait pas publiée par charité. En attendant qu'elle se fasse la main, la femme au cœur bien disposé lui confia la rédaction du calendrier des événements culturels.

— À condition que cela ne nuise pas à tes études. Je n'ai pas envie d'avoir tes parents sur le dos !

— Impossible, je suis en sabbatique.

Ce qui ne fut pas sans faire sourire la rédactrice.

Le lendemain, dès huit heures, Alice était plantée devant la porte du journal. Elle attendait qu'on lui ouvre, qu'on lui assigne un ordinateur, qu'on lui explique de quoi il s'agissait exactement. Et tout ce qu'on voudrait bien lui dire à partir de maintenant, tout ce qu'on voudrait bien lui enseigner, elle l'avalerait goulûment. Elle avait si faim!

Elle se fit de nouveaux amis, tous plus âgés qu'elle, et forcément moins intimes. Elle les observa avec attention, scrutant leurs vêtements comme leurs idées, afin de se hisser jusqu'à eux. Journalistes, graphistes, artistes à la pige, la plupart poursuivant des études universitaires, ils vivaient d'art et de culture, cultivaient leurs opinions politiques et critiquaient sévèrement leurs contemporains, surtout à l'heure du deux pour un. Alice notait mentalement les noms comme les références puis, le lendemain, elle passait l'heure du lunch sur Internet à essayer d'y voir clair, d'en apprendre davantage, et surtout de commencer à forger sa propre opinion.

Un soir, alors qu'elle regardait la télévision en compagnie de sa logeuse, la chaîne régionale présenta la photo d'une jeune fugueuse. Pendant une ou deux secondes, Alice eut la vague impression de connaître la disparue, puis, brusquement, elle prit conscience qu'il s'agissait d'elle-même. Ses parents ne possédant pas de photos récentes, la jeune fille présentée à l'écran pesait plus de deux cents livres alors qu'Alice, qui avait encore maigri depuis son départ, n'en faisait plus que cent

quarante-huit. La veuve, qui ne fit jamais le rapproche-
ment, hocha la tête avec tristesse.

Voilà qu'Alice avait perdu une seconde peau, voilà
qu'elle avait subi une deuxième mutation. Depuis
longtemps, il ne restait rien de Houston, et maintenant
la jeune fille de Swan Valley disparaissait à son tour.
Malgré elle, même si pour rien au monde elle n'aurait
abandonné sa nouvelle vie, une fois dans sa chambre
elle pleura abondamment. Il ne fallait pas regarder en
face le tort qu'elle causait à ceux qu'elle aimait. Quelle
épreuve pour ses parents, ses pauvres parents ! Kevin
Perowski aussi attisait sa culpabilité. Elle lui devait
presque autant qu'à Laurie, merveilleuse Laurie.

Elle fit couper ses cheveux et garda le profil bas
pendant quelques jours. Puis un matin, devant l'ordinateur du journal, elle prit conscience, en travaillant son
calendrier culturel, qu'il y avait fort longtemps qu'elle
n'avait pas eu ses menstruations.

Le téléphone sonna chez les Perowski et ce fut Kevin
qui décrocha. La voix, à l'autre bout, semblait plus
douce et plus délicate que jamais.

— Allô, Kevin. Comment vas-tu ?

Il se retrouva près d'elle en un rien de temps. Il ressentit sur toute la surface de son corps sa présence
chaude et son odeur, mais il sut aussi instinctivement
qu'elle avait encore changé.

— Où es-tu ?

— Je ne peux pas te le dire. Je t'appelle pour te prévenir que je suis enceinte de toi et que je vais subir un avortement. Je ne tiens pas à avoir ton avis, je voulais seulement être franche avec toi.

— Tu ne peux pas faire ça, Alice !

Ce n'était pas le mormon qui avait parlé, c'était l'amoureux qui voyait un moyen de retenir l'objet de son amour, de l'empêcher de continuer à le dépasser, à le devancer, à le quitter de toutes ces façons à la fois.

— Je veux te voir, Alice.

— Ce n'est pas une bonne idée. Pourquoi, pour faire quoi ?

Ils prirent la voiture de Laurie, mais ce fut Kevin qui conduisit. Ils partirent tôt le matin et franchirent les limites de Boise en fin d'après-midi. À la hauteur de *Twin Falls*, Laurie se risqua à dévoiler son plan.

— J'ai trouvé une solution, Kevin.

Le jeune homme se tourna vers elle.

— Tu pourrais t'inscrire à l'université de Boise. Vous pourriez vous prendre un petit appartement, Alice et toi, et élever ensemble votre enfant.

Pendant qu'elle prononçait ces mots, les poils comme les cheveux de l'institutrice se dressèrent et une vague de frissons parcourut son corps. Kevin refixa son regard sur la route. Laurie vit le trouble qui s'emparait aussi de lui. La perspective de vivre avec Alice, de partir enfin à l'aventure, le séduisait.

— Tu crois qu'elle voudra? dit-il.
— Je m'en occupe.

Un message les attendait à la réception du *Budget Inn*; Alice serait au *Moon's Café* à sept heures le soir. Ils se préparèrent avec fébrilité, Kevin se coiffant et se recoiffant, hésitant entre deux chandails, les essayant l'un après l'autre jusqu'à ce que Laurie décrète lequel l'avantageait. Quant à l'institutrice, elle resta en apparence calme, mais tout son être vibrait à l'idée, inconsciente bien sûr, que le moment de l'ultime réparation était peut-être venu.

Ils quittèrent la chambre en avance, ne pouvant plus supporter l'attente, et transportèrent leur impatience devant le restaurant. Quand Alice se profila au coin de la rue, ils reconnurent sa démarche mais non son allure générale. Elle leur fit un petit signe de la main, en essayant de réprimer la montée d'émotion qu'elle avait tant crainte, mais finalement, son nez picotant, ses yeux s'embuant, elle se précipita à la rencontre de leurs bras. Le trio resta soudé pendant de longues secondes à geindre et à renifler.

— Qu'est-ce que t'as fait à tes cheveux? demanda Kevin.

La fugue eut des airs si romantiques, racontée par Alice, qu'autant Laurie que Kevin l'envièrent. Sa nouvelle vie, remplie de rencontres, de découvertes et d'invention, fascinait. Kevin, une fois la surprise et l'excitation passées, se remit à jauger son amour pour elle, mettant à l'épreuve son sentiment chaque fois qu'elle révélait une nouvelle attitude ou qu'elle affichait un nouveau comportement. Il se rendit vite compte que tout ce qui ne lui avait pas encore échappé lui échappait maintenant. Alice paraissait avoir dix ans de plus que lui. Elle travaillait, elle était autonome, elle vivait des choses d'adulte, elle appelait le serveur par son prénom, elle retournait les sourires que les hommes lui envoyaient, mais, surtout, ses idées sur la politique, sur la culture et sur le monde laissaient Kevin loin derrière, comme un petit frère qui n'arrive pas à garder le rythme, trahi par ses petites jambes. Ainsi, il commença peu à peu à se retrancher, si bien que quand Laurie présenta son plan à Alice, après moult préparatifs, la réception fut tiède des deux côtés. Kevin se sentait si inférieur à la jeune fille, que la seule manière qu'il trouva pour niveler un peu les apparences fut de déclarer d'entrée de jeu que le dessein ne l'intéressait pas.

— Mais pourtant dans l'auto, tout à l'heure…

— Je suis trop jeune pour m'attacher, trancha-t-il.

Alice eut la grâce de ne pas en rajouter.

— Je crois que Kevin a raison, Laurie, nous sommes trop jeunes.

— Mais non, l'âge n'a rien à voir!

Alice la fixa un moment sans trouver les mots. Laurie ne pouvait-elle pas remarquer la distance qui s'était installée entre Kevin et elle?

— Si vous vous aimez vraiment, tout est possible!

Les yeux des deux jeunes rasèrent le sol ou s'accro-chèrent aux couverts souillés qui reposaient sur la table. La déception de Laurie s'installa avec une telle ampleur, une telle puissance, que le malaise se répandit jusqu'aux tables voisines. L'institutrice ramassa brusquement la note et se dirigea vers la caisse. Kevin et Alice échangèrent un seul regard, chargé de la honte et du regret d'avoir déçu celle qui avait tant fait pour eux. Laurie revint le visage long, les traits fatigués, l'œil amer. Elle vida son verre de vin d'un trait et enfila son manteau.

Sur le trottoir, Alice, se débattant avec l'impression d'être la grande responsable de toute cette dévastation, risqua encore quelques questions enthousiastes concernant Swan Valley, Tim et les autres. Mais les réponses de Laurie furent polies, sans plus, alors que Kevin, terrassé par le désenchantement, se refermait toujours davantage sur lui-même.

Ils ne se dirent pas adieu, ils se firent la bise en se lançant des au revoir, mais chacun savait qu'ils ne se reverraient jamais.

Une fois à la chambre, Laurie prit d'assaut le mini-bar. Quand Kevin ferma sa lampe de chevet, elle était déjà passablement amochée. Les yeux clos, feignant le sommeil, le jeune homme suivit ses allées et venues. Elle marcha de long en large un certains temps ; elle ouvrit le téléviseur sans mettre le son et fit une bonne dizaine de fois le tour des chaînes disponibles ; elle remplit la baignoire, s'y glissa, et, périodiquement, le tintement du verre sur le rebord du bain parvint jusqu'à Kevin. Quand il se réveilla au milieu de la nuit, il trouva Laurie blottie contre lui, tout habillée. Il rabattit doucement le couvre-lit sur elle et s'installa dans le lit voisin.

Après le déjeuner, ils reprirent la route en silence. Quand ils arrivèrent chez les Perowski, Laurie regarda à peine le jeune homme qui la saluait. Elle monta du côté conducteur et se dirigea vers Ririe. Tout au long de l'interminable trajet, éperonnée par des aigreurs d'estomac et un puissant mal de tête, elle avait poli encore davantage l'objet de sa haine. Elle se gara devant la maison et bondit hors de la voiture. Sa mère, à la cuisine, préparait son souper. L'entrée de Laurie fut si brutale qu'Angela eut un mouvement de recul, un geste instinctif dicté par la peur. Laurie ne lui accorda pas le moindre regard.

— As-tu faim ? Veux-tu que je te prépare quelque chose ?

Laurie attaqua l'escalier et alla s'enfermer dans sa chambre. Une fois sa mère endormie, elle sortit de la pièce, avança lentement dans le corridor et entrouvrit sa porte. Elle distinguait la forme dans la pénombre. Elle entendait son souffle calme. Ce n'était pas la première fois qu'elle venait l'observer, la nuit, depuis l'embrasure. Qui sait pourquoi ce soir-là elle décida d'entrer ?

Elle marcha avec précaution jusqu'à la chaise de rotin placée au bout du lit. Sa mère ne broncha pas, son sommeil coulait, linéaire et régulier. Laurie fixa la tête envoyée vers l'arrière. La peau du gosier, lisse et fortement tirée, la fascinait : un simple carré de matière fine, presque diaphane, pour garantir la défense de passes vitales telles l'aorte et les jugulaires.

Il y avait tant d'années qu'elle n'avait pas pleuré. Auprès de sa mère, comme s'il s'agissait d'un puissant activateur, son corps commença à tressauter, et les larmes, si longtemps contenues, furent expulsées sous la poussée compresseur de l'épuisement et du désordre

mental qui gagnait sur elle. Sa face se transmua lentement en un bouillon de grimaces et de sécrétions. Elle
eut l'impression d'être défigurée, comme si ses traits se
brouillaient définitivement et qu'enfin son visage devenait le miroir de son tumulte intérieur.

— Laurie?

Elle était traversée de spasmes, reniflant, sifflant,
cherchant à rattraper son souffle.

— Qu'est-ce que tu as?

— Je n'arrive pas à dormir, brailla-t-elle.

— Mais qu'est-ce que tu fais là?

— Je te regarde, maman.

— Laisse-moi ouvrir la lumière, dit-elle en étirant
le bras.

— Non!

La femme stoppa son geste et se redressa sur le lit.

— Qu'est-ce qu'il y a?

— C'est de ta faute.

— Tu parles de Mark?

— Tout. Tout est de ta faute.

— Mais qu'est-ce que j'ai fait encore?

— Tu as tout saccagé.

— De quoi parles-tu cette fois? De cette petite Alice
qui ne tient pas à garder son enfant? Si tu veux mon
avis, c'est aussi bien comme ça. Tu crois sincèrement
qu'on peut élever un enfant correctement à seize ans?

— Oui, je le crois. Moi, j'aurais très bien pu.

— Bon, nous y revoilà. Seule? Tu aurais pu l'élever
seule?

— Je n'étais pas seule, Jason était avec moi.

— Jason, Laurie, pauvre petite…

— Quoi?

— Tu ne l'as jamais vu tel qu'il était.

Laurie serra les poings.

— Il t'aurait plantée là tôt ou tard. Et probablement plus tôt que tard.

— C'est faux.

— S'il t'aimait à ce point, pourquoi est-il parti quelques jours après l'accouchement?

— À cause du chagrin.

— Tu n'as jamais remarqué à quel point il était soulagé que tu confies ton enfant à l'adoption?

Laurie voyait tout embrouillé. Il fallait trouver une façon de calmer cette douleur au plus vite. Elle avait envie de gestes extraordinairement physiques, elle croyait que dans l'activité, dans l'amplitude, quelque chose s'évaporerait, que la puissance de ce qui l'étreignait s'amenuiserait. Elle se leva et marcha dans la pièce. La tension allait provoquer l'éclatement de son cœur.

— J'ai fait de mon mieux, Laurie. C'était pour ton bien.

— Comment peux-tu dire une chose pareille? criat-elle. Tu m'as enlevé mon enfant! Tu as donné mon enfant!

Angela Rivers plissa les yeux. La férocité de sa fille l'atteignait de plein fouet. La décision n'avait pas été prise de gaieté de cœur et les remords avaient traversé le temps.

— Tu as gâché ma vie. J'étais une jeune fille gaie et légère et drôle et tu m'as assassinée.

La femme éclata d'un rire strident qui trahissait des années et des années d'écœurement.

— Tu n'as jamais été gaie ni légère, Laurie Rivers. Tu as toujours été compliquée, impossible et égoïste.

Laurie marchait de long en large, maintenant en agitant les mains comme si elle voulait calmer une brûlure.

— Au fond, tu n'as jamais pensé à personne d'autre qu'à toi !

— Mais toute ma vie j'ai souffert de la perte de cet enfant. Tu ne comprends donc pas ? !

Angela en eut assez. Elle se leva, se dirigea vers sa fille et la gifla solidement. Laurie, stupéfaite, plaqua sa main sur son visage.

— À ce que je sache, reprit la mère, tu n'as jamais fait la moindre démarche pour avoir de ses nouvelles, pour t'enquérir de sa santé ! Tu n'as même jamais considéré la possibilité de le revoir !

Laurie fixait la gorge de sa mère, le carré de peau diaphane qui luisait dans la pénombre. Subitement, la tête perdit de son humanité, elle devint un objet à la forme étrange, pas franchement réussi, perché sur une tige fragile et noueuse, avec des fibres desséchées qui jaillissaient en touffes sur le dessus, un objet passablement dur et curieux, qu'on avait envie de cogner contre quelque chose afin de voir quel bruit en sortirait. Laurie plaqua ses mains sur la poitrine de sa mère et la poussa de toutes ses forces. La femme recula en battant l'air de ses bras et termina sa course dans la chaise de rotin.

Laurie la haïssait avec tant de puissance ! La perte de ses enfants, l'essoufflement de son programme d'amaigrissement, l'homosexualité de son mari, la disparition d'Alice, sa petite vie au fond de ce trou, tout était de sa faute. Elle se planta près de sa mère et se l'imagina morte afin de sonder ce qu'elle ressentait.

Elle descendit l'escalier en tenant fermement la rampe. Elle traversa le salon et ouvrit la porte avec une telle violence que la poignée resta fichée dans le mur. À Palisades, au Parc de la rivière, elle stoppa son véhicule dans l'aire de stationnement. C'est là que Nelly McCann s'était glissée dans l'eau ; on avait retrouvé sa bicyclette abandonnée sur la berge. Le printemps revenu, l'adolescente, derrière le voile de son mal-être, avait vu les visages s'ouvrir et les sourires s'épanouir. Elle avait vu la vie reprendre ses aises avec ses intolérables impératifs de bonheur et de plaisir en sachant que cette fois elle ne serait pas à la hauteur. Chagrin d'amour, homosexualité ou simple dérèglement chimique, personne n'en avait parlé, personne n'avait même émis d'hypothèse. C'était ça aussi, la saveur *Old West*.

Laurie avança jusqu'à ce que l'eau glacée atteigne ses genoux. Étrange comme, une fois qu'elle avait imaginé sa mère morte, ce vide l'avait aspirée, l'avait avalée, l'avait dépouillée de toute puissance et de toute intensité. Étrange comme elle n'avait plus eu de moteurs ni d'appétit.

Ouvrez vos yeux et vos oreilles, voilà ce qu'elle répétait à ses élèves quand elle les emmenait en forêt. *Regardez autour de vous ! Ayez faim ! Cette trace de patte sur le sol, cette fleur, ce champignon, cette toile d'araignée entre ces branches, la mousse sur cette pierre, le chant de cet oiseau, je veux vous voir manger tout ça avec vos yeux et vos oreilles, je veux vous voir les manger avec vos narines et vos doigts!* Ils la trouvaient drôle, l'institutrice, surtout les plus jeunes, quand elle s'enflammait de la sorte. Elle pria Dieu de bien vouloir lui pardonner son geste, lui qui avait eu la bonté de se servir d'elle. Et elle fit un autre pas. Déjà, elle avait peine à garder son équilibre ; le courant était si fort à la sortie du barrage. Elle releva sa chemise de nuit pour ne pas la mouiller. Et tout de suite elle se sentit ridicule. Elle rit à voix haute et, le temps d'un éclair, elle tourna la tête vers la berge en se demandant si elle ne pourrait pas tout simplement rebrousser chemin.

On retrouva son corps, au cœur de la petite ville d'Idaho Falls, six jours plus tard. Elle avait gaspillé de longues heures au pied du barrage, retenue par de puissants remous. Puis, les gaz de décomposition s'accumulant dans son organisme, elle avait quitté le fond et commencé à naviguer entre deux eaux. Elle avait rejoint la surface juste à la sortie de Swan Valley, au moment où la rivière s'engouffre dans le canyon. C'est donc le visage face au ciel, ses yeux blanchis mais toujours aussi avides fixant l'azur, qu'elle s'extirpa enfin de la vallée. À la hauteur de Ririe, quelques heures plus tard, si elle avait été vivante, elle n'aurait eu qu'à tourner la tête pour voir le village se dessiner au loin. Le clocher de l'église aurait été facile à repérer puis, de là, la rue où habitait Angela, sa mère. Après Ririe, elle continua de glisser lentement, paisiblement, sur les flots de la *Snake*, comme un explorateur qui s'en va découvrir le nouveau monde. Au cœur d'Idaho Falls, malheureusement, une tige métallique qui dépassait du pilier d'un pont éperonna sa robe de nuit et la pression du courant la maintint plaquée contre la structure de béton jusqu'à ce que deux adolescents l'aperçoivent.

Le responsable de l'enquête conclut vite à un suicide. Après tout, c'était la haute saison.

Kevin revit Maggie Fisher le jour même de l'enterrement. Dès qu'il la reconnut, contre toute attente, son cœur s'emballa sensiblement. L'automne suivant, il fit son entrée à BYU en gestion du paysage. Il étudia et pria aux côtés de Maggie Fisher durant deux ans, jusqu'à ce qu'elle parte en mission. Quand la jeune fille, qui avait décidé depuis bien longtemps que Kevin deviendrait son mari, sentait qu'il s'éloignait, peut-être assailli par le doute ou pour retrouver, en pensée, cette Alice Hubbard, elle lui offrait sa bouche ou elle le laissait toucher sa jolie poitrine. Aux côtés de Maggie Fisher, chaque question était immédiatement suivie d'une réponse simple, claire et sans équivoque. Qu'elle soit tirée du Livre de Mormon, de Doctrines & Alliances ou plus simplement de son corsage.

Il reçut son ordre de mission et partit pour la Virginie. Dix-huit interminables mois durant lesquels les deux jeunes gens – Maggie était partie un an plus tôt pour le Brésil – correspondirent assidûment. Maggie put donc, à travers les écrits de l'homme qu'elle aimait, mesurer à quel point l'épreuve le minait. Dix-huit mois, six jours sur sept, à importuner des étrangers afin de les convertir à une religion qui avait sa part de mauvaise presse. Dix-huit mois dans un appartement presque insalubre en compagnie d'un missionnaire plus pieux que Dieu lui-même, mais surtout dix-huit mois en complet et en cravate. Dix-huit mois plutôt que vingt-quatre, comme à l'ordinaire, parce que son calvaire fut interrompu par le décès de sa mère. Il rentra à Swan Valley d'où il ne repartit plus. Son père, si fort et si juste, ne se remit jamais tout à fait du départ de celle qu'il aimait, alors que lui, Kevin, avait oublié Alice depuis longtemps. Voilà de quoi est fait l'amour, conclut-il.

Le père et le fils construisirent sur la terre pater-nelle une maison où Kevin emménagea avec Maggie Perowski, aussitôt les travaux terminés. Ils eurent deux enfants coup sur coup et désormais ce furent le travail, les charges familiales et l'implication dans la commu-nauté qui vinrent à bout des questions du jeune homme.

Alice déposa l'enfant sur ses petits pieds et lui sou-haita bonne journée. Comme chaque matin, la petite s'accrocha à sa jambe jusqu'à ce que la préposée de la garderie vienne lui prendre la main. Terminant ses études en journalisme, Alice ne rêvait que du moment où elle quitterait Boise. Si on s'intéressait à la musique, il fallait parcourir le monde entier. Elle allait proposer une série de portraits au *Boise Weekly* : la scène hip

hop japonaise, la scène techno de Berlin, le slam pari-
sien. Il fallait aussi se rendre à Montréal rencontrer DJ
SoCalled, la star du hip hop yiddish. Et à Hambourg
pour interviewer Gregorian, qui avait eu l'idée sau-
grenue d'adapter des succès rock en chant grégorien !
Elle n'avait pas besoin de grand-chose : billets d'avion,
de train ou d'autobus, quelques dollars pour se loger
modestement et nourrir sa fille. S'ils refusaient, elle pro-
poserait son projet à un autre journal. Puis à un autre.
Il fallait en profiter avant que la petite ne commence
l'école. Après, qu'est-ce qu'il y aurait après ? Après,
les choses seraient plus compliquées. Il faudrait poser
bagages et s'installer quelque part. Prendre racine, pour
un temps du moins, et, forcément, s'intégrer à la communauté, s'imbriquer dans le tissu social. Il faudrait
se couler dans la matrice du monde, et cela, malgré les
risques que la chose comportait.

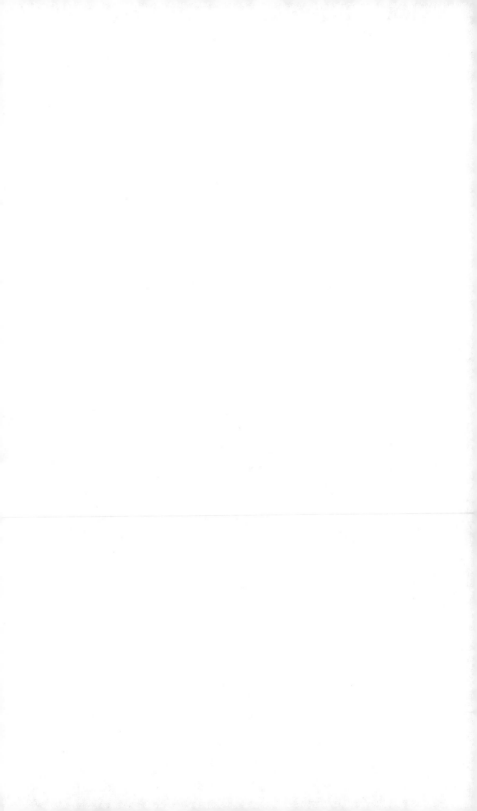